Gratins et Soufflés

Paulette FISCHER

Photos : S.A.E.P. / C. Dumoulin

EDITIONS S.A.E.P.
INGERSHEIM 68000 COLMAR

✕	préparation très simple
✕✕	préparation facile
✕✕✕	préparation élaborée
○	peu coûteuse
○○	raisonnable
○○○	chère

Deux noms, deux plats bien différents mais pourtant combien semblables.

GRATINS et SOUFFLES, deux mots qui enchantent notre esprit et réjouissent notre palais.

L'un comme l'autre, s'ils se servent à des occasions différentes, apportent tous deux autant de joie et de plaisir sur la table et font également briller de gourmandise les yeux des convives.

Aux fruits, nappés de sabayon ou de crème pâtissière, ils se transforment en dessert de fête.

Sauce Béchamel

Prép. : 10 mn. Cuiss. : 15 mn.
Pour 7 dl. environ.

50 g. de beurre / 40 g. de farine / 1/2 l. de lait / Sel / Poivre / Muscade.

Faire un roux blond avec le beurre et la farine. Mouiller avec le lait. Assaisonner et faire épaissir à feu doux 10 minutes.

Sauce Mornay

Prép. : 10 mn. Cuiss. : 15 mn.
Pour 7 dl. environ.

50 g. de beurre / 40 g. de farine / 1/2 l. de lait / Sel / Poivre / Muscade / 3 jaunes d'œufs / 50 g. de gruyère râpé.

Préparer une béchamel.
Hors du feu, ajouter les jaunes d'œufs battus et le fromage.

1 - Faire le roux blond avec le beurre et la farine.

2 - Ajouter le lait. Faire épaissir sur feu doux en remuant.

3 - Hors du feu, ajouter les jaunes d'œufs battus

4 - et le fromage.

Coulis de tomate

Prép. : 20 mn. Cuiss. : 15 mn.
Pour 7 dl. environ.

1 kg. de tomates bien mûres / 1 petite carotte / 1 petit oignon / 1 bouquet garni / 20 g. de beurre / 1 pincée de sucre / Sel / Poivre.

Peler et émincer finement la carotte et l'oignon.

Peler les tomates et les couper en quartiers. Les faire fondre au beurre avec la carotte et l'oignon. Ajouter le bouquet garni. Saler, poivrer et mélanger.

A ébullition, couvrir et laisser cuire à feu doux jusqu'à obtenir une purée. Passer au tamis.

Sauce italienne

Prép. : 15 mn. Cuiss. : 40 mn.
4 pers.

60 g. de beurre / 40 g. de farine / 2 dl. de vin blanc sec / 1 oignon / 125 g. de champignons / 1 citron / 1 gousse d'ail / 1 échalote / 1 cuil. à soupe de fines herbes / Sel / Poivre / Muscade / 1 clou de girofle / 1 brin de thym / 1/2 feuille de laurier.

Faire un roux blond avec 40 g. de beurre et la farine. Mouiller avec 3 dl. d'eau et le vin. Assaisonner. Ajouter le thym, le laurier et le clou de girofle. Laisser cuire 10 minutes et passer au chinois.

Faire étuver l'oignon, l'ail et l'échalote pelés et les champignons, le tout haché, dans le reste de beurre environ 20 minutes. Ajouter la sauce, les fines herbes et un peu de jus de citron.

Fumet de poisson

Prép. : 15 mn. Cuiss. : 30 mn.
4 pers.

500 g. de parures et d'arêtes de poisson (les demander au poissonnier) / 1 oignon / 1 carotte / 1 bouquet garni / 1 dl. de vin blanc / 20 g. de beurre / Sel / Poivre.

Emincer la carotte et l'oignon. Les faire suer au beurre sans colorer. Ajouter les parures de poisson. Mouiller avec 7 dl. d'eau et porter à ébullition. Ecumer.

Ajouter le vin blanc et les aromates. Assaisonner.

Porter à ébullition et laisser réduire de moitié.

Zeste d'orange confit

Prép. : 5 mn. Cuiss. : 15 mn.
4 pers.

125 g. de sucre / 1 dl. de sirop de grenadine / Le zeste de 2 oranges.

Laver les oranges en les brossant sous l'eau chaude. Les essuyer.

Prélever le zeste (partie orange) avec un couteau économe. Couper en fines lanières.

Mettre ce zeste dans 25 cl. d'eau, ajouter le sirop de grenadine et le sucre. Faire cuire jusqu'à réduction des 3/4 du liquide. Laisser le zeste refroidir dans le sirop. L'égoutter avant de l'utiliser.

GRATINS

Pain perdu gratiné

✕○

Prép. : 15 mn. Cuiss. : 15 mn.
4 pers.

4 tranches de pain rassis d'1 cm d'épaisseur / 15 cl. de lait / 1 œuf / 50 g. de fromage (comté, cantal, emmenthal).

Battre l'œuf. Y ajouter le lait chaud en fouettant. Saler et poivrer.

Tartiner chaque tranche de beurre ramolli. Les mettre à tremper 5 minutes dans le mélange œuf-lait.

Placer ces tranches dans un plat à gratin beurré. Saupoudrer de fromage râpé. Faire gratiner au four, th. 8 (240° C), 15 minutes.

Servir brûlant.

Toasts gratinés

Prép. : 15 mn. Cuiss. : 10 mn.
5 pers.

5 tranches de pain de mie d'1 cm d'épaisseur / 3 cuil. à soupe de vin blanc / 125 g. de fromage râpé (chester, gruyère, parmesan) / Poivre / Sel / 25 g. de beurre.

Beurrer les tranches de pain. Mettre au four, th. 8, 5 minutes.

Chauffer doucement le vin avec le fromage en fouettant jusqu'à obtention d'une crème onctueuse. Saler et poivrer.

Répartir cette crème sur les tranches de pain et passer au four, th. 9 (270° C), 5 minutes.

Servir brûlant.

Gratin d'œufs aux oignons

Prép. : 15 mn. Cuiss. : 30 mn.
6 pers.

6 œufs durs / 6 oignons moyens / 30 g. de beurre / 1 cuil. d'huile / 1 dl. de vin blanc sec / 2 cuil. à soupe de concentré de tomate / 2 dl. de crème fraîche / 20 g. de gruyère.

Faire fondre les oignons émincés dans le mélange beurre-huile sans qu'ils colorent. Ajouter le concentré de tomate mélangé avec le vin. Laisser réduire. Ajouter la crème et la moitié du fromage râpé.

Etaler la préparation dans un plat à gratin huilé. Couvrir de rondelles d'œuf et saupoudrer du reste de fromage. Faire gratiner 10 minutes sous le gril du four.

Oeufs aux oignons gratinés

Prép. : 15 mn. Cuiss. : 30 mn.
5 pers.

5 œufs / 300 g. d'oignons / 50 g. de beurre / 2 cuil. à soupe d'huile / 1 dl. de vin blanc sec / 15 cl. de crème fraîche / 1 gousse d'ail / 150 g. de gruyère.

Faire cuire les œufs 10 minutes à l'eau bouillante. Les égoutter, les rincer à l'eau froide.

Peler et émincer les oignons. Les faire fondre avec 1 cuillerée à soupe d'huile et le beurre en remuant 10 minutes. Mouiller avec le vin blanc. Assaisonner. Hors du feu, ajouter la crème et 100 g. de gruyère râpé.

Frotter un plat à gratin avec la gousse d'ail écrasée. Le badigeonner d'huile et y verser la préparation.

Ecaler les œufs. Les couper en 2 et les poser sur les oignons. Saupoudrer de gruyère et faire gratiner 10 minutes sous le gril du four.

Gratin aux œufs

Prép. : 10 mn. Cuiss. : 45 mn.
5 pers.

8 tranches de pain de mie / 4 œufs cuits durs / 4 tranches de jambon de Paris / 3 œufs / 150 g. de gruyère / 5 dl. de lait / 1 dl. de concentré de tomate / 50 g. de beurre / 5 cl. d'huile / Sel / Poivre / Muscade.

Faire frire les tranches de pain de mie dans la matière grasse et les ranger en les faisant se chevaucher dans un plat à gratin beurré.

Entre chaque tranche de pain mettre une demi-tranche de jambon et des rondelles d'œuf dur écalé.

Battre les 3 œufs avec le lait, le concentré de tomate, 100 g. de gruyère râpé et l'assaisonnement.

Verser cette préparation dans le plat. Saupoudrer du gruyère restant.

Faire cuire au four, th. 6 (180° C), 30 minutes.

Gratin d'œufs aux champignons

Prép. : 20 mn. Cuiss. : 20 mn.
4 pers.

4 œufs cuits durs / 250 g. de champignons / 150 g. de gruyère / 1 jaune d'œuf / 80 g. de beurre / 40 g. de farine / 5 dl. de lait.

Ecaler les œufs. Les couper en 2 et les ranger dans un plat à gratin beurré. Faire un roux blond avec 40 g. de beurre et la farine. Mouiller avec le lait. Assaisonner et laisser épaissir quelques minutes.

Nettoyer les champignons. Les émincer et les faire légèrement rissoler dans 25 g. de beurre.

Verser le jaune d'œuf battu, les champignons et 100 g. de gruyère râpé dans la béchamel. Vérifier l'assaisonnement.

Napper les œufs avec la sauce. Saupoudrer de gruyère râpé et parsemer de noisettes de beurre.

Faire gratiner 10 minutes sous le gril.

Gratin d'œufs aux légumes

Prép. : 25 mn. Cuiss. : 25 mn.
4 pers.

4 œufs / 2 aubergines / 400 g. de tomates / 1 petit bouquet de persil / 50 g. de gruyère râpé / 2 cuil. à soupe de chapelure / 50 g. de beurre.

Faire cuire les œufs durs. Les passer sous l'eau froide, les écaler et les couper en rondelles.

Peler les aubergines. Les couper en 2 dans le sens de la longueur et les faire blanchir 2 minutes à l'eau bouillante salée. Les égoutter et les couper en tranches.

Peler, épépiner et couper les tomates en morceaux.

Garnir le fond d'un plat à gratin beurré de tranches d'aubergines. Ranger les tranches d'œuf et de tomate.

Saler, poivrer, saupoudrer de persil haché, de gruyère râpé et de chapelure. Parsemer de noisettes de beurre.

Faire gratiner au four, th. 7 (210° C), 15 minutes.

Moules au gratin

Prép. : 40 mn. Cuiss. : 30 mn.
4 pers.

1,5 kg. de grosses moules / 25 g. de beurre / 25 g. de farine / 150 g. de gruyère / 4 échalotes / 2 cuil. à soupe de persil haché / 5 cl. de crème fraîche / 1 cuil. à soupe de chapelure.

Gratter et laver les moules. Les faire ouvrir à feu vif en secouant la casserole. Recueillir le jus et le filtrer.

Faire un roux blond avec le beurre et la farine. Mouiller avec 1 verre de jus des moules. Ajouter les échalotes pelées et hachées, la crème et le fromage râpé. Saler et poivrer.

Mettre chaque moule dans une moitié de coquille. Y répartir la farce. Saupoudrer de chapelure. Faire gratiner sous le gril 10 minutes.

Praires gratinées

Prép. : 30 mn. Cuiss. : 10 mn.
4 pers.

2 douzaines de praires / 50 g. de beurre / 5 cl. de crème fraîche / 50 g. de chapelure / 2 gousses d'ail / 3 cuil. à soupe de persil haché / Sel / Poivre.

Laver, brosser et ouvrir les praires en récupérant leur jus. Les ranger dans un plat allant au four.

Malaxer le beurre, la crème, la chapelure, les gousses d'ail écrasées finement, le persil et un peu de jus des praires filtré. Vérifier l'assaisonnement.

Coiffer chaque coquille garnie d'une praire avec un peu de préparation. Faire gratiner 10 minutes sous le gril.

Gratin de macaroni aux moules

Prép. : 30 mn. Cuiss. : 40 mn.
6 pers.

250 g. de macaroni / 2 kg. de moules / 1 cuil. d'huile / 75 g. de beurre / 3 œufs / 1 dl. de crème / 75 g. de gruyère / 20 g. de chapelure.

Laver, gratter et faire ouvrir les moules quelques minutes à feu vif. Enlever les coquilles. Filtrer et réserver le liquide de cuisson.

Faire cuire les macaroni à l'eau bouillante salée, additionnée d'un peu d'huile. Les égoutter. Ajouter 50 g. de beurre. Assaisonner.

Dans un plat à gratin beurré, alterner les couches de macaroni et de moules.

Battre les œufs avec le jus des moules, la crème et la moitié du gruyère. Verser le tout dans le plat. Saupoudrer du reste de gruyère et de chapelure.

Faire gratiner au four, th. 8 (240° C), 20 minutes.

Crabe à la vietnamienne

Prép. : 40 mn. Cuiss. : 1 h. 30 mn.
6 pers.

1 tourteau de 2 kg. / 6 oignons / 6 langoustines / 1 paquet de champignons noirs / 1 poignée de cèpes séchés / 1 cuil. à café de nuoc-mam / 50 g. de beurre / 1 court-bouillon (1 dl. de vinaigre, 2 oignons, 1 carotte, 1 bouquet garni) / Sel / 20 g. de chapelure.

Faire tremper les champignons secs 1 heure à l'eau tiède. Chauffer 2 dl. d'eau avec les ingrédients du court-bouillon. Cuire 30 minutes puis laisser refroidir.

Mettre le crabe dans le bouillon. Porter à ébullition. Cuire 30 minutes. L'égoutter, l'ouvrir et le vider. Réserver la chair, les pattes, les pinces et la carapace bien nettoyée.

Faire cuire les langoustines dans le court-bouillon 8 minutes. Récupérer la chair et la hacher avec celle du crabe, les oignons pelés et le persil. Saler.

Egoutter les champignons. Les hacher et les faire revenir dans 30 g. de beurre. Les ajouter au mélange, avec le reste de beurre et le nuoc-mam.

Remplir la carcasse du mélange. Saupoudrer de chapelure. La reconstituer en replaçant pattes et pinces.

Faire gratiner au four, th. 5 (150° C), 45 minutes.

Crabe farci à l'antillaise

Prép. : 15 mn. Cuiss. : 25 mn.
5 pers.

250 g. de crabe au naturel / 150 g. de lard fumé / 2 oignons / 3 gousses d'ail / 75 g. de beurre / 100 g. de mie de pain / 1 dl. de lait / 2 cuil. de chapelure / 1 petit piment rouge.

Faire tremper la mie de pain dans le lait. L'écraser.

Hacher finement le lard, les oignons et l'ail. Les faire revenir dans 40 g. de beurre. Retirer les cartilages du crabe. L'émietter et l'ajouter au hachis. Laisser mijoter 5 minutes. Ajouter le piment écrasé et le pain. Assaisonner.

Verser dans un moule à gratin beurré. Saupoudrer de chapelure et parsemer de copeaux de beurre.

Faire gratiner 10 minutes au four, th. 8 (240° C).

Tourteaux à la bretonne gratinés

Prép. : 30 mn. Cuiss. : 1 h.
4 pers.

2 petits tourteaux / 2 dl. de vin blanc / 4 champignons / 1 oignon / 2 carottes / 5 cl. de crème fraîche / 50 g. de beurre / 30 g. de gruyère râpé / 15 cl. de béchamel épaisse (p. 4) / 1 court-bouillon.

Faire cuire les tourteaux dans le court-bouillon 25 minutes par kilo. Sortir la chair et la partie crémeuse de la carapace. Hacher la chair et la mélanger à la partie crémeuse écrasée à la fourchette.

Faire réduire de moitié le vin additionné du bouquet garni, de l'échalote hachée et des champignons émincés.

Couper l'oignon et les carottes en très petits dés et les faire revenir dans 20 g. de beurre sans les laisser roussir.

Mouiller la béchamel avec 1 dl. de court-bouillon puis le vin. Ajouter la mirepoix et la crème. Rectifier l'assaisonnement. Incorporer la chair des tourteaux. Laisser mijoter 5 minutes en mélangeant.

Remplir les carapaces avec la préparation. Saupoudrer de gruyère. Parsemer de copeaux de beurre.

Faire gratiner 15 minutes sous le gril.

Gratin de langoustines

Prép. : 10 mn. Cuiss. : 45 mn.
4 pers.

24 langoustines / 4 échalotes / 30 g. de beurre / 5 cl. d'huile / 4 tomates / 1 dl. de vin blanc sec / 5 cl. de cognac / 1 bouquet garni / 1 dl. de crème fraîche / 20 g. de chapelure / Sel / Poivre.

Plonger les langoustines dans un court-bouillon en ébullition. Laisser mijoter 8 minutes. Les décortiquer et les ranger dans un plat à gratin beurré tenu au chaud.

Faire fondre les échalotes pelées et hachées dans la matière grasse. Ajouter les tomates pelées, épépinées et concassées, le vin, le cognac et le bouquet garni. Laisser cuire 20 minutes. Enlever le bouquet garni. Mixer le reste et ajouter la crème. Napper les langoustines avec la sauce. Saupoudrer de chapelure et faire gratiner 10 minutes sous le gril.

Gratin de la mer

Prép. : 20 mn. Cuiss. : 20 mn.
6 pers.

250 g. de filets de merlan / 250 g. de crevettes décortiquées / 350 g. de moules cuites décortiquées / 200 g. de crabe au naturel / 2 dl. de sauce Béchamel (p. 4) / 150 g. de champignons de Paris / 10 cl. de crème fraîche / 75 g. de gruyère / 20 g. de beurre.

Faire pocher les filets de poisson au court-bouillon 5 minutes. Les égoutter et les couper en morceaux.

Laver et émincer les champignons. Les faire revenir dans le beurre 5 minutes.

Ajouter la crème à la sauce Béchamel puis le poisson, les crevettes, les moules, le crabe égoutté et divisé en morceaux, les champignons et la moitié du gruyère.

Verser cette préparation dans un plat à gratin beurré, saupoudrer du reste de gruyère et faire gratiner sous le gril 15 minutes.

Gratin de fruits de mer ✕✕ ○○○

Prép. : 40 mn. Cuiss. : 30 mn.
6 pers.

6 langoustines / 2 kg. de moules / 6 coquilles Saint-Jacques / 75 g. de beurre / 40 g. de farine / 1/2 l. de lait / 15 cl. de crème fraîche / 1 court-bouillon (1 oignon, 1 bouquet garni, 1 carotte, sel, poivre) / 2 gousses d'ail / Persil / 25 g. de chapelure / 50 g. de comté.

Chauffer 1 litre d'eau avec tous les éléments du court-bouillon. A ébullition, plonger les langoustines pour 8 minutes. Les égoutter et les décortiquer.

Ouvrir les coquilles Saint-Jacques. Les faire dorer 8 minutes dans 25 g. de beurre avec l'ail et le persil hachés. Nettoyer les moules. Les faire ouvrir à feu vif et les sortir de leur coquille.

Faire un roux blond avec 50 g. de beurre et la farine. Mouiller avec le lait. Remuer et laisser épaissir 10 minutes à feu doux. Saler, poivrer et ajouter la crème.

Répartir les langoustines, les coquilles Saint-Jacques et les moules dans un plat à gratin beurré. Napper de sauce. Saupoudrer de chapelure et de gruyère râpé.

Faire gratiner th. 8 (240° C), 20 minutes.

Gratin de pommes de terre aux anchois

Prép. : 20 mn. Cuiss. : 55 mn.
4 pers.

600 g. de pommes de terre / 30 g. de beurre / 100 g. d'anchois dessalé / 15 cl. de lait / 2 oignons / 10 cl. de crème.

Peler les pommes de terre et les oignons. Les couper en rondelles minces.

Dans un plat à gratin beurré, ranger la moitié des pommes de terre, les oignons, les anchois et le reste des pommes de terre. Saler. Répartir le beurre en parcelles.

Mettre 15 minutes au four th. 5 (150° C). Ajouter le lait et la crème mélangés. Prolonger la cuisson 40 minutes.

Gratin de cabillaud

Prép. : 20 mn. Cuiss. : 35 mn.
4 pers.

600 g. de cabillaud / 1 citron / 2 œufs / 1 oignon / 25 g. de farine / 25 g. de beurre / 1/2 l. de bouillon / 1 cuil. à café de curry / Sel / Poivre / 75 g. d'olives vertes dénoyautées / 50 g. de fromage / 1 fumet de poisson (p. 7).

Chauffer le fumet. Ajouter le jus du citron. Dès l'ébullition, ajouter le poisson et laisser frémir 15 minutes. L'égoutter.

Faire durcir les œufs. Les écaler.

Faire fondre l'oignon émincé dans le beurre. Saupoudrer de farine. La laisser blondir puis, en remuant, mouiller avec le bouillon. Ajouter le curry. Saler et poivrer. Emietter le poisson et l'ajouter à la sauce avec les olives. Verser cette préparation dans un plat à gratin. Répartir les œufs coupés en rondelles. Saupoudrer de fromage.

Faire gratiner, th. 8 (240° C), 10 minutes.

Servir accompagné éventuellement de riz créole.

Pain de morue gratiné

Prép. : 30 mn. Cuiss. : 1 h. 05 mn.
6 pers.

500 g. de morue salée / 500 g. de pommes de terre / 3/4 l. de lait / 50 g. de beurre / 20 cl. de crème / 75 g. de gruyère râpé / 3 œufs / Sel / Poivre / 3 dl. de sauce Mornay (p. 4).

Peler et émincer les pommes de terre. Faire dessaler la morue. L'effeuiller et la mettre à cuire dans le lait avec les pommes de terre. Réduire le tout en purée. Ajouter les jaunes d'œufs, le beurre et la crème. Si la préparation est trop épaisse, ajouter un peu de lait chaud.

Battre les blancs d'œufs en neige ferme et les incorporer délicatement à la préparation.

Verser le mélange dans un plat à gratin beurré. Saupoudrer de gruyère râpé. Cuire au four, th. 7 (210° C), 35 minutes.

Merlan en gratin

Prép. : 10 mn. Cuiss. : 20 mn.
6 pers.

1,2 kg. de filets de merlan / 1 court-bouillon (1 poireau, 1 carotte, 1 branche de céleri, 1 oignon, 1/2 feuille de laurier, 1 branchette de thym) / 3 jaunes d'œufs / 125 g. de fromage blanc / 50 g. de gruyère / 25 g. de beurre.

Mettre l'oignon, le poireau, la carotte, le céleri lavés et émincés dans un faitout avec le laurier et le thym. Poser les filets dessus et couvrir d'eau. Porter à ébullition et laisser frémir 5 minutes. Egoutter et réserver le poisson dans un plat à gratin tenu au chaud.

Filtrer et faire réduire le court-bouillon.

Battre 3 jaunes d'œufs. Ajouter 3 cuillerées à soupe de court-bouillon et le fromage blanc. Verser sur le poisson. Saupoudrer de gruyère râpé et de noisettes de beurre.

Mettre à gratiner sous le gril 8 à 10 minutes.

Merlans farcis gratinés

Prép. : 25 mn. Cuiss. : 25 mn.
4 pers.

4 merlans / 200 g. de champignons / 100 g. de jambon de Paris / 100 g. de mie de pain / 1 dl. de lait / 1 gousse d'ail / 1 cuil. à soupe de persil haché / 20 g. de chapelure / 40 g. de beurre / 1 dl. de vin blanc sec.

Mettre à tremper la mie de pain dans le lait.

Nettoyer et hacher les champignons. Les faire suer dans 20 g. de beurre pendant 10 minutes.

Ajouter le jambon haché, la mie de pain égouttée et écrasée, l'ail pilé, le persil et les champignons. Assaisonner.

Laver les merlans et les essuyer. Les farcir de la préparation. Les ranger dans un plat beurré allant au four. Saupoudrer de chapelure et de copeaux de beurre. Verser le vin au fond du plat.

Faire cuire au four, th. 8 (240° C), 25 minutes.

Filets de poisson gratinés

Prép. : 20 mn. Cuiss. : 35 mn.
4 pers.

4 filets de daurade ou de cabillaud / 1 dl. d'huile / 1 kg. de tomates / 3 oignons / 3 gousses d'ail / 2 cuil. à soupe de fines herbes hachées (persil, marjolaine, basilic).

Pocher les tomates quelques minutes à l'eau bouillante. Les égoutter, les peler, les épépiner. Peler et émincer les oignons. Peler et écraser l'ail.

Faire fondre les oignons dans un peu d'huile. Ajouter la pulpe de tomate et l'ail. Assaisonner et faire cuire 10 minutes. Dans un plat à gratin huilé, verser un peu de sauce. Ranger les filets de poisson. Assaisonner. Couvrir de sauce tomate. Saupoudrer d'herbes et arroser d'un peu d'huile. Faire cuire au four, th. 7 (210° C), 15 minutes.

Gratin de poisson

Prép. : 15 mn. Cuiss. : 40 mn.
4 pers.

400 g. de poisson cuit au court-bouillon ou au naturel / 3 œufs / 3 dl. de lait / 60 g. de beurre / 30 g. de farine / 1 cuil. à soupe de cognac / Chapelure.

Faire un roux blond avec 30 g. de beurre et la farine. Mouiller avec le lait froid. Remuer jusqu'à ébullition et laisser cuire 5 minutes.

Hors du feu, ajouter le poisson émietté et les jaunes d'œufs. Incorporer délicatement les blancs battus en neige très ferme. Assaisonner.

Verser la préparation dans un plat à gratin bien beurré. Saupoudrer de chapelure. Faire cuire au four, th. 7 (210° C), 40 minutes.

Gratin de poisson à l'espagnole

Prép. : 25 mn. Cuiss. : 40 mn.
4 pers.

600 g. de poisson (lieu, colin, cabillaud) / 1 citron / 25 g. de farine / 1 dl. d'huile / 2 cuil. à café de curry / 1 dl. de vin blanc sec / 1 poivron rouge / 1 pomme / 50 g. de gruyère / 40 g. de beurre / Rondelles d'ananas / Riz cuit créole.

Assaisonner le poisson coupé en lanières de sel et de poivre. Arroser de jus de citron et saupoudrer de farine.

Faire revenir le poisson dans de l'huile chaude. Dès qu'il est doré, saupoudrer de curry et mouiller avec le vin blanc.

Faire griller le poivron. L'épépiner et le couper en lanières. Le faire revenir dans de l'huile chaude. Ajouter la pomme coupée en dés et le poisson. Mélanger.

Verser la préparation dans un moule beurré. Saupoudrer de gruyère et parsemer de noisettes de beurre. Faire gratiner au four, th. 8 (240° C), 15 minutes.

Faire revenir les rondelles d'ananas dans du beurre. Mouler le riz créole chaud dans une coupe. Le retourner sur un plat garni avec des rondelles d'ananas. Servir en accompagnement du gratin de poisson.

Gratin de thon à la florentine

Prép. : 1 h. Cuiss. : 30 mn.
Repos : 3 h. - 6 pers.

1 kg. d'épinards / 30 g. de beurre / 500 g. de thon au naturel / 3 jaunes d'œufs / 1 œuf entier / 200 g. de beurre / 5 dl. de crème fraîche / 2 dl. de sauce italienne (p. 6) / Sel / Poivre / Muscade.

Piler le thon au mortier. Ajouter les jaunes et l'œuf entier l'un après l'autre puis 150 g. de beurre très froid. Bien malaxer. Laisser 3 heures au réfrigérateur.

Incorporer la crème. Assaisonner. Répartir la préparation dans 6 petits ramequins individuels. Faire pocher au four, th. 5 (150° C), au bain marie pendant 30 minutes.

Nettoyer, blanchir et égoutter soigneusement les épinards. Les verser dans 30 g. de beurre chauffé et les laisser dessécher quelques instants. Assaisonner.

Verser les épinards dans un plat à gratin beurré très chaud. Démouler dessus les ramequins de thon. Napper de sauce italienne chaude et faire gratiner 12 minutes sous le gril.

Gratin de sardines

Prép. : 15 mn. Cuiss. : 20 mn.
4 pers.

8 grosses sardines / 4 grosses tomates / 1 cuil. de persil haché / 2 cuil. d'huile / 2 gousses d'ail / Poivre de Cayenne / 2 cuil. de chapelure / 20 g. de beurre.

Monder et peler les tomates. Les épépiner et les faire cuire avec 1 cuillerée d'huile, l'ail écrasé, le persil et une pincée de poivre. Mixer.

Faire revenir les sardines dans 1 cuillerée d'huile. Enlever la peau et les arêtes.

Verser le coulis de tomate dans un plat à gratin beurré. Ranger les filets de sardines par-dessus. Saupoudrer de chapelure et arroser d'huile. Faire gratiner 10 minutes sous le gril.

Coquilles à la florentine

Prép. : 20 mn. Cuiss. : 25 mn.
6 pers.

1 kg. d'épinards / 200 g. de thon au naturel / 30 g. de beurre / 50 g. de farine / 25 cl. de lait / 100 g. de gruyère râpé / Sel / Poivre.

Trier et laver les épinards. Les faire cuire à l'eau bouillante salée 10 minutes. Les égoutter et les presser pour en exprimer l'eau. Les hacher.

Garnir le fond de 6 coquilles Saint-Jacques d'épinards. Répartir le thon en morceaux dessus.

Faire un roux blond avec le beurre et la farine. Mouiller avec le lait en remuant et laisser cuire 5 minutes. Hors du feu, ajouter la moitié du gruyère râpé. Poivrer, saler.

Napper les coquilles de sauce. Les saupoudrer de gruyère râpé et parsemer de noisettes de beurre.

Faire gratiner, th. 8 (240° C), 10 minutes.

Soles au gratin

Prép. : 20 mn. Cuiss. : 25 mn.
4 pers.

4 soles parées de 300 g. environ / 300 g. de champignons de Paris / 1 citron / 3 échalotes / 1 dl. de vin blanc sec / Beurre manié (30 g. de beurre, 30 g. de farine) / 75 g. de beurre / Chapelure / Sel / Poivre / 2 dl. de fumet de poisson (p. 7) / 1 dl. de crème.

Nettoyer et hacher les champignons. Les arroser de jus de citron. Peler et hacher les échalotes.

Beurrer un plat à gratin et y ranger les soles. Les saupoudrer du hachis de champignons et d'échalotes. Arroser avec du fumet et du vin. Faire pocher au four, th. 7 (210° C) 8 minutes.

Retirer les soles et les maintenir au chaud sur un plat allant au four. Faire réduire leur jus de cuisson. Y ajouter la crème puis le beurre manié. Après 5 minutes de frémissement, vérifier l'assaisonnement. Napper les soles.

Saupoudrer de chapelure. Faire gratiner 10 minutes sous le gril.

Gratin de viande

Prép. : 20 mn. Cuiss. : 30 mn.
4 pers.

600 g. de restes de viande cuite / 500 g. de champignons de Paris / 3 échalotes / 1 gousse d'ail / 2 cuil. à soupe de persil haché / 2 cuil. à soupe de chapelure / 1 œuf / 1 verre de vin blanc sec / 30 g. de beurre.

Nettoyer et hacher les champignons. Peler et hacher les échalotes et l'ail. Mélanger les champignons, les échalotes, l'ail, le persil, la chapelure et l'œuf. Saler et poivrer. Bien mélanger.

Dans un plat à gratin beurré, verser la moitié de la préparation. Ranger la viande coupée en tranches. Couvrir avec le reste de hachis. Arroser avec le vin blanc et parsemer de copeaux de beurre.

Faire cuire au four, th. 6, 30 minutes.

Bœuf gratiné

Prép. : 20 mn. Cuiss. : 3 h.
6 pers.

1,2 kg. de gîte à la noix / 2 dl. de bouillon / 15 cl. de vin blanc sec / 3 oignons / 2 carottes / 2 blancs de poireaux / 1 branche de céleri / 100 g. de comté / 6 gousses d'ail / 1 branche de thym / 1 feuille de laurier / 1 petit bouquet de persil / 50 g. de beurre / 1 cuil. à soupe d'huile.

Emincer les oignons et les blancs de poireaux. Couper les carottes en rondelles, le céleri en petits bâtonnets.

Mettre ces légumes avec l'huile et le beurre dans une cocotte allant au four, avec les gousses d'ail non épluchées. Poser la viande. Mouiller avec le bouillon et le vin. Porter à ébullition puis mettre la cocotte au four 3 heures, th. 8 (240° C) en la couvrant.

Retirer la viande. La couper en tranches. La remettre dans la cocotte. Saupoudrer de comté râpé. Faire gratiner sous le gril et servir dans la cocotte.

Paupiettes gratinées 

Prép. : 25 mn. Cuiss. : 45 mn.
4 pers.

4 escalopes de veau / 250 g. de champignons / 150 g. de jambon cru / 1 dl. de bouillon / 1 œuf / 50 g. de gruyère / 40 g. de beurre / 1 cuil. d'huile / 15 cl. de coulis de tomate / Sel / Poivre.

Laver et nettoyer les champignons. Les hacher avec le jambon et faire revenir le tout dans 20 g. de beurre. Assaisonner. Mouiller avec le bouillon et laisser cuire 10 minutes.

Hors du feu, incorporer l'œuf battu. Répartir la préparation sur les escalopes. Les rouler et les ficeler. Les faire dorer à l'huile.

Ranger les escalopes dans un plat allant au four. Napper de coulis de tomate et saupoudrer de gruyère râpé. Faire gratiner au four, th. 8 (240° C), 20 minutes.

Gratin africain

Prép. : 20 mn. Cuiss. : 30 mn.
Trempage : 1 h. - 6 pers.

500 g. de bœuf haché / 50 g. de pain rassis / 2 œufs / 15 cl. de lait / 1 oignon / 50 g. d'amandes mondées hachées / 1 cuil. à café de curry / 5 cl. de jus de citron / 5 g. de sucre en poudre / 1 feuille de laurier / 20 g. de beurre / Sel.

Verser le lait chaud sur le pain et le laisser tremper 1 heure. Peler et hacher l'oignon. Ajouter les amandes et faire dorer dans le beurre.

Presser le pain pour l'égoutter et l'écraser à la fourchette.

Ajouter, en mélangeant, la viande, les oignons, les amandes, le curry, le jus de citron, le sucre, une pincée de sel et 1 œuf battu.

Verser le mélange dans un plat à gratin beurré. Verser dessus le 2ème œuf battu avec 1 cuillerée à soupe de lait. Piquer la feuille de laurier à la surface.

Faire cuire 30 minutes au four, th. 7 (210° C).

Gratin landais

Prép. : 30 mn. Cuiss. : 1 h.
4 pers.

1,5 kg. de pommes de terre / 100 g. de cantal râpé / 200 g. de jambon de Bayonne / 3 dl. de lait / 1 dl. de crème / Sel / Poivre / 20 g. de beurre.

Peler et émincer finement les pommes de terre. Couper le jambon en petits dés.

Dans un plat à gratin beurré, mettre une couche de tranches de pommes de terre. Saupoudrer de cantal. Répartir le jambon. Recommencer l'opération 2 fois.

Mélanger le lait et la crème. Assaisonner et verser sur la préparation. Mettre à cuire au four, th. 6 (180° C), 1 heure.

Gratin chinois

Prép. : 15 mn. Cuiss. : 35 mn.
4 pers.

200 g. de riz / 1 cuil. d'huile / 1 oignon / 100 g. de viande de porc hachée / 100 g. de jambon fumé émincé / 100 g. de champignons en lamelles / 100 g. de crevettes grises décortiquées / 3 œufs / 4 épices / Sel / 20 g. de beurre / 1 cuil. d'huile.

Faire cuire le riz à la créole. L'assaisonner et l'égoutter. Tenir au chaud.

Faire revenir l'oignon pelé et émincé dans de l'huile. Ajouter le porc, le jambon et les champignons. Laisser rissoler 10 minutes. Ajouter les crevettes, le riz, une pincée de 4 épices et les jaunes d'œufs battus. Battre les blancs en neige ferme et les incorporer à la préparation. Verser dans un plat à gratin beurré et faire cuire au four, th. 8 (240° C), 15 minutes.

Gratin à la grecque

Prép. : 20 mn. Cuiss. : 40 mn.
6 pers.

250 g. de riz / 300 g. de tomates / 300 g. de viande blanche cuite / 2 œufs / 1 oignon / Persil / Sel / Poivre / Muscade / 20 g. de beurre.

Faire cuire le riz à l'eau bouillante salée 12 minutes. L'égoutter.

Hacher l'oignon et le faire fondre dans 20 g. de beurre. Hacher la viande et y ajouter l'oignon, le sel, le poivre et la muscade. Peler, épépiner et couper les tomates en quartiers.

Dans un plat à gratin allant au four, disposer la moitié du riz, le hachis de tomates et le reste du riz. Battre les œufs salés et poivrés et les verser dans le plat.

Faire cuire au four, th. 5 (150° C), 30 minutes.

Saupoudrer de persil haché pour servir.

Moussaka

Prép. : 25 mn. Cuiss. : 30 mn.
4 pers.

4 aubergines / 500 g. de viande d'agneau hachée / 1 oignon / 1 gousse d'ail / 150 g. de champignons de Paris / 3 tomates / 2 dl. de sauce Béchamel (p. 4) / 25 g. de gruyère / 25 g. de beurre / 1 cuil. à soupe d'huile / Sel / Poivre.

Monder, épépiner et hacher la chair des tomates. Laver et couper les aubergines en tranches. Les faire frire à l'huile.

Mélanger les champignons et l'oignon hachés, l'ail pilé, la viande et la chair des tomates. Faire revenir le mélange dans de l'huile quelques minutes.

Ranger une couche d'aubergines dans un plat à gratin beurré, une couche de viande. Alterner ces couches. Finir par des aubergines. Napper avec la sauce Béchamel chaude. Saupoudrer de gruyère et de petites lamelles de beurre.

Faire gratiner sous le gril 10 minutes.

Gratin de coquillettes

Prép. : 15 mn. Cuiss. : 35 mn.
4 pers.

250 g. de coquillettes / 5 cl. d'huile / 4 œufs / 3 dl. de lait / 1 dl. de crème fraîche / 100 g. de comté râpé / 20 g. de beurre / 200 g. de jambon / Sauce tomate.

Faire cuire les pâtes à l'eau bouillante salée additionnée d'huile.

Couper le jambon en dés. Battre les œufs, le lait, la crème. Ajouter 80 g. de comté râpé, le jambon et les pâtes bien égouttées. Assaisonner.

Verser dans un plat à gratin beurré. Saupoudrer du reste de fromage. Faire cuire au four, th. 6 (180° C), 25 minutes. Servir accompagné de sauce tomate chaude.

Gratin de chou

Prép. : 10 mn. Cuiss. : 35 mn.
4 pers.

1 chou vert / 3 carottes / 2 oignons / 250 g. de viande de porc hachée / 150 g. de riz / 3 dl. de bouillon de bœuf / 2 œufs / 2 dl. de lait / 100 g. de gruyère râpé / 1 dl. d'huile / 25 g. de beurre.

Enlever les grosses côtes du chou et émincer les feuilles.

Peler et émincer les oignons. Les faire rissoler à l'huile. Ajouter les carottes pelées et coupées en rondelles, les lanières de chou, la viande et le riz. Remuer puis, après 5 minutes, mouiller avec le bouillon. Laisser frémir 20 minutes.

Verser la préparation dans un plat à gratin beurré. Battre les œufs et le lait. Ajouter la moitié du gruyère. Verser dans le plat. Saupoudrer du reste de gruyère.

Faire gratiner sous le gril 10 minutes.

Courgettes farcies

Prép. : 30 mn. Cuiss. : 35 mn.
4 pers.

4 fines petites courgettes / 300 g. d'épaule d'agneau hachée / 1 dl. d'huile / 2 petits oignons / 2 cuil. à soupe de persil haché / 2 œufs / 5 cl. d'huile d'olive / 1 dl. de concentré de tomate / Sel / Poivre / 30 g. de beurre.

Creuser les courgettes. Garder les chapeaux. Faire revenir la pulpe et la viande dans l'huile avec les oignons pelés et émincés. Hors du feu, ajouter le persil et les œufs battus. En farcir les courgettes. Poser les chapeaux. Ranger le tout dans un plat à gratin beurré. Déposer quelques noisettes de beurre.

Mélanger l'huile d'olive au concentré de tomate et 15 cl. d'eau. Assaisonner. Faire couler cette sauce au fond du plat. Cuire au four, 210° C (th. 7), 30 minutes.

Hachis parmentier

Prép. : 30 mn. Cuiss. : 1 h.
4 pers.

1 kg. de pommes de terre / 1 dl. de crème / 40 g. de beurre / 5 cl. d'huile / 2 gros oignons / 15 cl. de vin blanc / 600 g. de viande de bœuf hachée / 100 g. de gruyère râpé / Sel / Poivre.

Faire revenir les oignons pelés et hachés à l'huile. Ajouter le hachis. Mouiller avec le vin. Assaisonner et laisser cuire 10 minutes.

Faire cuire les pommes de terre à l'eau bouillante salée. Les peler et les mixer. Ajouter 30 g. de beurre et la crème en fouettant énergiquement.

Dans un plat beurré, étaler successivement une couche de pommes de terre, une couche de hachis, en terminant par de la purée. Parsemer de gruyère et faire gratiner au four, th. 7 (210° C), 30 minutes.

Gratin à la bolognaise

Prép. : 20 mn. Cuiss. : 30 mn.
4 pers.

750 g. de pommes de terre / 1 oignon / 50 g. de lard / 300 g. de viande cuite hachée / 100 g. de beurre / 1 dl. de crème / 15 cl. de coulis de tomate (p. 6).

Faire cuire les pommes de terre à l'eau bouillante. Les égoutter, les peler et les réduire en purée. Ajouter 50 g. de beurre et la crème. Assaisonner. Fouetter sur feu doux quelques minutes pour alléger la purée.

Faire revenir l'oignon émincé dans un peu de beurre. Incorporer le coulis de tomate à la viande.

Verser la moitié de la purée dans un plat à gratin beurré. Répartir la viande et l'oignon par-dessus. Couvrir du reste de purée. Parsemer de noisettes de beurre. Mettre au four, th. 7, 15 minutes.

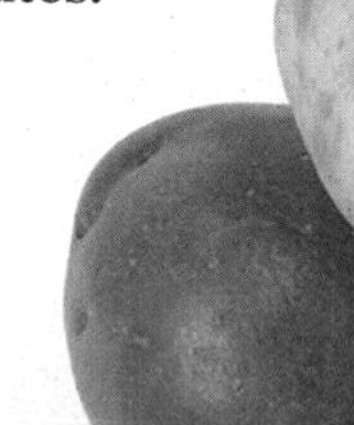

Gratin de pommes de terre au confit

Prép. : 15 mn. Cuiss. : 1 h. 30 mn.
6 pers.

2 kg. de pommes de terre / 300 g. de confit de canard / 3 gousses d'ail / Sel / Poivre.

Peler et couper les pommes de terre en rondelles. Dégraisser et couper le confit en petits morceaux. Réserver 2 cuillerées de graisse du confit. Peler et hacher l'ail.

Dans un plat à gratin badigeonné de graisse de confit, déposer par couches les pommes de terre et les morceaux de confit saupoudrés d'ail. Finir par des pommes de terre. Répartir de la graisse de confit dessus. Assaisonner.

Faire cuire au four, th. 6, 1 heure 30 minutes. Servir dès la sortie du four.

Gratinée à la lyonnaise

Prép. : 20 mn. Cuiss. : 30 mn.
6 pers.

1 l. de bouillon de pot-au-feu / 1 cuil. à soupe d'huile / 1,5 kg. d'oignons / 300 g. de gruyère râpé / 2 jaunes d'œufs / 1 dl. de porto / Pain rassis / 100 g. de sucre en poudre / Sel / Poivre.

Peler, émincer et faire sauter les oignons à la poêle. Dès qu'ils commencent à dorer, les saupoudrer de sucre. Remuer pour faire caraméliser.

Dans une soupière allant au four, alterner des couches de pain, d'oignons et de gruyère. Verser le bouillon chaud dessus. Faire gratiner au four, th. 8, 15 minutes.

Avant de servir, faire un puits au centre et y verser les 2 jaunes d'œufs battus avec le porto. Servir aussitôt.

Fonds d'artichaut gratinés

Prép. : 10 mn. Cuiss. : 25 mn.
4 pers.

8 fonds d'artichaut cuits / 60 g. de beurre / 40 g. de farine / 3 dl. de lait / 1 dl. de crème / 125 g. de gruyère / 25 g. de beurre.

Chauffer 40 g. de beurre et la farine. Mouiller avec le lait et laisser épaissir 8 minutes en remuant. Ajouter la crème et 100 g. de gruyère râpé. Assaisonner.

Ranger les fonds d'artichaut dans un plat à gratin beurré. Napper avec la sauce. Parsemer de gruyère et de lamelles de beurre. Faire gratiner sous le gril 10 minutes.

Gratin d'asperges

Prép. : 20 mn. Cuiss. : 35 mn.
4 pers.

1 kg. d'asperges / 75 g. de beurre / 40 g. de farine / 1 dl. de crème / 75 g. de gruyère / Sel / Poivre / Muscade / 15 g. de chapelure.

Peler les asperges et les couper en morceaux de 3 cm de long en réservant les pointes.

Faire cuire les morceaux à l'eau bouillante salée 15 minutes. Ajouter les pointes et prolonger la cuisson 5 minutes. Egoutter en réservant le jus. Ranger les morceaux d'asperges dans un plat à gratin beurré et poser les têtes dessus.

Faire un roux blond avec 50 g. de beurre et la farine. Mouiller avec 25 cl. de jus de cuisson des asperges. Assaisonner. Laisser cuire 5 minutes et ajouter la crème. Verser la sauce sur les asperges. Saupoudrer de fromage râpé, de chapelure et de petits morceaux de beurre.

Faire gratiner 8 minutes sous le gril.

Gratin de bettes

Prép. : 20 mn. Cuiss. : 20 mn.
6 pers.

2 kg. de bettes / 5 dl. de sauce Mornay (p. 4) / 25 g. de gruyère râpé / 25 g. de beurre.

Eliminer les parties filandreuses des feuilles de bettes. Les faire blanchir 10 minutes à l'eau bouillante salée. Les égoutter et les détailler en morceaux.

Ranger les bettes dans un plat à gratin beurré. Les napper de sauce chaude. Saupoudrer de gruyère et de noisettes de beurre. Faire gratiner sous le gril 8 à 10 mi-

Gratin de brocolis

Prép. : 10 mn. Cuiss. : 25 mn.
4 pers.

800 g. de brocolis / 50 g. de beurre / 250 g. de jambon de Paris / 10 cl. de crème fraîche / 100 g. de comté / Sel / Poivre.

Laver et détacher les bouquets de brocolis. Les faire cuire 10 minutes à l'eau bouillante salée. Les égoutter et les ranger dans un plat à gratin beurré en intercalant des lamelles de jambon.

Saler, poivrer la crème. La verser sur les brocolis. Saupoudrer de gruyère râpé.

Faire gratiner 8 à 10 minutes sous le gril.

Gratin de carottes

Prép. : 30 mn. Cuiss. : 40 mn.
6 pers.

1,5 kg. de carottes / 5 dl. de béchamel (p. 4) / 25 g. de chapelure / 25 g. de beurre / 50 g. de gruyère.

Peler et émincer les carottes. Les cuire dans un peu d'eau bouillante salée 20 minutes. Les égoutter. En réduire la moitié en purée. Incorporer la béchamel à cette purée.

Verser dans un plat à gratin beurré. Ranger le reste des rondelles de carottes dessus en les faisant se chevaucher. Saupoudrer de chapelure, de fromage râpé et de noisettes de beurre. Faire gratiner th. 8 (240° C) 20 minutes.

Préparer la béchamel avec l'eau de cuisson des carottes et 15 cl. de crème.

Cœurs de céleri gratinés

Prép. : 20 mn. Cuiss. : 35 mn.
6 pers.

3 pieds de céleri-branche / 3 gousses d'ail / 1 cuil. à soupe d'huile d'olive / 2 dl. de crème épaisse / 100 g. de fromage râpé / Sel / Poivre.

Eliminer les grosses côtes dures de l'extérieur, les branches vertes et les feuilles. Raccourcir les côtes à 20 cm et la base en biseau. Laver les pieds en écartant les branches.

Blanchir les céleris à l'eau bouillante salée 10 minutes. Les égoutter soigneusement et les fendre en 2. Les ranger dans un plat à gratin beurré.

Faire fondre l'ail haché dans un peu d'huile et en saupoudrer les céleris. Battre la crème avec le fromage. Saler et poivrer. La verser sur les céleris. Mettre au four, th. 8 (240° C), 20 minutes.

Gratin de chou-fleur

Prép. : 10 mn. Cuiss. : 25 mn.
6 pers.

1 gros chou-fleur / 5 dl. de sauce Mornay (p. 4) / 100 g. de gruyère / Sel / Poivre.

Détailler le chou-fleur en bouquets. Le laver. Le faire cuire à l'eau bouillante salée 10 minutes. L'égoutter. Ranger le chou-fleur en le reformant dans un plat à gratin beurré. Verser la sauce chaude dessus. Saupoudrer de gruyère râpé.

Faire gratiner au four, th. 8, 15 minutes.

On peut entourer le chou-fleur de rondelles d'œufs durs avant de le napper de sauce.

Gratin de courgettes

Prép. : 30 mn. Cuiss. : 45 mn.
4 pers.

500 g. de fines courgettes / 1 oignon / 1 carotte / 40 g. de beurre / 1 cuil. à soupe d'huile / 2 cuil. à soupe de persil haché / Sel / Poivre / 5 dl. de sauce Mornay (p. 4) / 50 g. de gruyère.

Peler et hacher l'oignon et la carotte et les faire fondre dans 20 g. de beurre et l'huile. Ajouter les courgettes en rondelles et le persil. Faire cuire environ 20 minutes en remuant fréquemment. Assaisonner.

Mettre les courgettes dans la sauce Mornay chaude. Verser la préparation dans un plat à gratin beurré. Saupoudrer de gruyère et faire cuire au four, th. 6 (180° C), 30 minutes.

Far aux épinards

Prép. : 20 mn. Cuiss. : 50 mn.
5 pers.

1 kg. d'épinards / 100 g. d'oseille / 150 g. d'oignons / 250 g. de lard demi-sel / 4 œufs / 40 g. de beurre / 25 cl. de crème fraîche / 1 cuil. à soupe de fécule ou de maïzena / Sel / Poivre / Muscade.

Blanchir les épinards et l'oseille 5 minutes à l'eau bouillante salée. Bien égoutter. Les hacher.

Faire revenir les oignons pelés et hachés dans le beurre. Ajouter le lard en petits dés. Après 10 minutes, hors du feu, ajouter les épinards, les œufs, la fécule et la crème battues avec une pincée de muscade. Saler et poivrer.

Verser la préparation dans un plat à gratin beurré. Faire prendre au four th. 6 (180° C) 35 minutes.

Pain de poireaux

Prép. : 15 mn. Cuiss. : 30 mn.
4 pers.

1 kg. de poireaux / 75 g. de comté / 25 g. de beurre / 1 œuf / 5 dl. de sauce Mornay (p. 4).

Nettoyer les poireaux. Eliminer les parties trop vertes. Les laver et les couper en rondelles. Les faire cuire 15 minutes à l'eau bouillante salée. Les égoutter.

Les mélanger à la sauce Mornay et les verser dans un plat à gratin beurré. Parsemer de fromage râpé et de lamelles de beurre.

Faire gratiner 10 minutes sous le gril.

Gratin de macaroni

Prép. : 10 mn. Cuiss. : 35 mn.
6 pers.

600 g. de macaroni / 50 g. de beurre / 200 g. de comté / 200 g. de parmesan / 2 dl. de crème fraîche / 150 g. de mozzarella / 2 cuil. à soupe d'huile.

Faire cuire les macaroni à l'eau bouillante salée additionnée d'une cuillerée d'huile environ 10 minutes. Les égoutter. Verser les pâtes dans un plat à gratin huilé.

Mélanger les fromages râpés avec la crème. Ajouter la préparation sur les pâtes. Répartir la mozzarella en lamelles et le beurre en petits dés par-dessus.

Mettre au four, th. 8 (240° C), 20 minutes.

Gratin de torsades

Prép. : 20 mn. Cuiss. : 45 mn.
4 pers.

250 g. de torsades (pâtes) / 4 tomates / 1 oignon / 1 gousse d'ail / 1 branche de thym / 200 g. de champignons / Sel / Poivre / 50 g. de gruyère / 1 cuil. à soupe d'huile / 25 g. de beurre.

Faire cuire les pâtes à l'eau bouillante salée. Nettoyer et émincer les champignons. Les faire suer à feu doux. Faire fondre l'oignon pelé et émincé à l'huile. Ajouter les tomates pelées et épépinées, l'ail écrasé et le thym. Assaisonner. Laisser cuire 10 minutes.

Verser les pâtes bien égouttées dans un plat beurré. Couvrir de la préparation à la tomate. Saupoudrer de gruyère. Parsemer de beurre en lamelles. Faire gratiner th. 7 (210° C) 20 minutes.

Pommes de terre farcies au fromage

Prép. : 25 mn. Cuiss. : 25 mn.
4 pers.

4 grosses pommes de terre / 150 g. de comté / 50 g. de beurre / 1 œuf / 15 cl. de crème fraîche / Sel / Poivre / 1 branche de thym / 1 cuil. à soupe d'huile.

Bien laver les pommes de terre et les faire cuire dans leur peau à l'eau bouillante salée environ 15 minutes. Elles doivent être juste cuites. Les égoutter et les couper en 2.

Ramollir le beurre. Incorporer l'œuf, le fromage, la crème et les feuilles de thym. Creuser légèrement les pommes de terre et incorporer la pulpe extraite à la préparation précédente. En garnir les pommes de terre.

Huiler un plat à gratin. Y ranger les pommes de terre. Badigeonner d'huile. Mettre au four, th. 7 (210° C) 15 minutes.

Pommes de terre à la fondue

Prép. : 15 mn. Cuiss. : 40 mn.
4 pers.

1,2 kg. de pommes de terre / 50 g. de beurre / 200 g. d'emmenthal / 1 dl. de lait / 3 œufs / 50 g. de maïzena / Sel / Poivre / 5 cl. de kirsch.

Peler et faire cuire les pommes de terre à l'eau bouillante salée 20 minutes. Les égoutter et les couper en morceaux. Les mettre dans un plat à gratin.

Mettre le lait, le beurre et le fromage râpé dans une casserole. Assaisonner et faire fondre à feu doux pour obtenir une crème lisse. Hors du feu, ajouter les œufs battus, la maïzena et le kirsch.

Verser la préparation sur les pommes de terre et faire dorer th. 6 (180° C), 20 minutes.

Gratin savoyard

Prép. : 45 mn. Cuiss. : 50 mn.
6 pers.

1 kg. de pommes de terre / 200 g. d'emmenthal / Sel / Poivre / Muscade / 1 l. de bouillon / 2 gousses d'ail / 100 g. de beurre / 2 oignons.

Peler les pommes de terre et les émincer.

Frotter un plat à gratin avec les gousses d'ail. Le beurrer et y ranger successivement une couche de pommes de terre, de lamelles d'oignons et d'emmenthal râpé. Répéter cette opération. Parsemer de noisettes de beurre. Saupoudrer de sel, de poivre et de muscade. Mouiller avec le bouillon. Faire cuire au four, th. 7 (210° C) 50 minutes.

Gratin de pommes de terre au roquefort

Prép. : 20 mn. Cuiss. : 1 h. 15 mn.
4 pers.

1 kg. de pommes de terre / 125 g. de roquefort / 5 dl. de lait / Sel / Poivre / Noix de muscade / 2 dl. de crème fraîche / 80 g. de beurre.

Réduire le fromage en pâte et y incorporer le lait. Saler et poivrer. Ajouter un peu de muscade.

Beurrer un plat allant au four. Y ranger la moitié des pommes de terre. Napper de lait au roquefort. Couvrir avec le reste des pommes de terre puis le reste de lait.

Parsemer du reste de beurre en lamelles.

Faire cuire au four, th. 7 (210° C), 40 minutes. Arroser avec la crème salée et poivrée. Prolonger la cuisson 30 minutes.

Gratin de potiron

Prép. : 20 mn. Cuiss. : 30 mn.
4 pers.

1 kg. de potiron pelé et épépiné / 60 g. de beurre / 50 g. de farine / 25 cl. de lait / 1 dl. de purée de tomate / 100 g. de gruyère râpé.

Couper le potiron en dés et le faire cuire à l'eau bouillante salée 15 minutes. Faire un roux avec 40 g. de beurre et la farine. Mouiller avec le lait. Ajouter la purée de tomate. Faire cuire 10 minutes à feu doux. Egoutter le potiron. Le réduire en purée. Ajouter la sauce tomate.

Verser le tout dans un moule à gratin beurré. Saupoudrer de gruyère. Faire gratiner sous le gril 10 minutes.

Gratin de riz aux poireaux

Prép. : 10 mn. Cuiss. : 45 mn.
4 pers.

250 g. de riz long grain / 4 gros blancs de poireaux / 1 oignon / 75 g. de beurre / 1 cuil. d'huile / 100 g. de comté / 3 dl. de bouillon / Sel / Poivre / Muscade.

Peler et émincer l'oignon. Emincer les blancs de poireaux.

Faire fondre 10 minutes l'oignon et les poireaux dans l'huile et 50 g. de beurre en remuant. Ajouter le riz. Remuer quelques minutes et mouiller avec le bouillon. Assaisonner. Laisser frémir jusqu'à ce que le bouillon soit absorbé.

Verser la préparation dans un plat à gratin beurré. Saupoudrer de fromage râpé et parsemer de quelques noisettes de beurre. Faire gratiner sous le gril 10 minutes.

Gratin italien

Prép. : 15 mn. Cuiss. : 35 mn.
6 pers.

8 cuil. à soupe de riz / 4 pommes de terre / 30 g. de beurre / 1 œuf / 1 dl. de lait / Sel / Poivre / 6 fines tranches de mozzarella.

Laver le riz et le mettre dans une casserole avec 2 fois son volume d'eau. Saler et faire cuire à feu doux jusqu'à ce que l'eau soit complètement absorbée.

Faire cuire les pommes de terre en robe 20 minutes dans de l'eau bouillante. Les peler et les réduire en purée.

Mélanger la purée et le riz. Ajouter le beurre, le lait, le jaune d'œuf et le blanc battu en neige. Saler et poivrer.

Verser la préparation dans un plat à gratin beurré. Poser les tranches de mozzarella dessus. Parsemer de copeaux de beurre. Faire gratiner au four, th. 8 (240° C), 15 minutes.

Gratin aux abricots

Prép. : 1 h. 15 mn. Cuiss. : 1 h.
4 pers.

300 g. d'abricots frais / 3 dl. de lait / 100 g. de sucre / 40 g. de farine / 20 g. de beurre / 4 œufs / 3 cl. de kirsch / 1 sachet de sucre vanillé.

Laver et dénoyauter les abricots. Séparer les oreillons. Les mettre à cuire avec un verre de lait et 50 g. de sucre. Mélanger délicatement pour qu'ils ne s'écrasent pas. Egoutter. Ajouter le kirsch et laisser tiédir.

Délayer la farine avec 2 cuillerées de lait. Chauffer le reste du lait avec 50 g. de sucre et le sucre vanillé. Verser sur la farine délayée en remuant et remettre à cuire jusqu'à ébullition en remuant. Laisser tiédir et ajouter un à un 3 jaunes d'œufs puis le beurre ramolli. Laisser refroidir.

Battre les blancs en neige ferme et les incorporer avec précaution à l'appareil.

Dans un moule à soufflé beurré, disposer une petite couche de pâte. Couvrir d'abricots. Continuer en alternant les couches et en terminant par de la pâte. Faire cuire au four, th. 6 (180° C), 35 minutes.

Gratin de figues aux pêches

Prép. : 20 mn. Cuiss. : 2 mn.
6 pers.

6 figues / 4 pêches / 4 jaunes d'œufs / 125 g. de sucre / 15 cl. de sauternes ou de monbazillac.

Laver et essuyer les figues. Les couper en 2 et les répartir dans des petits plats individuels.

Pocher les pêches 2 minutes à l'eau bouillante. Les peler, les couper en lamelles puis les répartir sur les plats. Saupoudrer d'1 cuillerée de sucre.

Juste avant de servir, fouetter les jaunes d'œufs avec 100 g. de sucre dans un bain-marie, sur feu doux, en ajoutant progressivement le vin. Lorsque le mélange a doublé de volume, le répartir sur les fruits et passer 2 minutes sous le gril du four pour faire légèrement dorer la crème.

Bananes gratinées

Prép. : 10 mn. Cuiss. : 15 mn.
6 pers.

6 bananes / 4 blancs d'œufs / 100 g. de sucre / 70 g. de beurre / 1 citron.

Peler les bananes et les couper en 2 dans le sens de la longueur. Les arroser d'un peu de jus de citron.

Faire fondre le beurre dans un plat allant au four. Y mettre les bananes et les faire dorer au four, th. 6 (180° C). Les saupoudrer de sucre.

Battre les blancs d'œufs en neige ferme. Ajouter délicatement un peu de sucre. Napper les bananes. Saupoudrer à nouveau avec le reste de sucre.

Faire dorer au four, th. 8 (240° C) 5 minutes.

Gratin de framboises

Prép. : 10 mn. Cuiss. : 15 mn.
4 pers.

250 g. de framboises / 100 g. de sucre / 4 jaunes d'œufs / 2 dl. de crème / 1 cuil. à café de fécule / 1 cuil. à soupe de liqueur de framboise ou de kirsch.

Battre les jaunes d'œufs et le sucre. Incorporer la fécule, la crème et la liqueur. Ranger les framboises dans 4 ramequins beurrés. Napper de la préparation. Faire gratiner 15 minutes.

Petits gratins de framboises

Prép. : 15 mn. Cuiss. : 25 mn.
4 pers.

300 g. de framboises / 100 g. de sucre en poudre / 2 sachets de sucre vanillé / 1 cuil. à soupe de maïzena / 1 orange / 25 cl. de crème fraîche / 2 œufs / 20 g. de beurre.

Battre les œufs, le sucre vanillé et la moitié du sucre en poudre. Ajouter la crème, la maïzena en pluie, le zeste de l'orange et 1 cuillerée à soupe de jus d'orange en continuant à fouetter.

Beurrer et saupoudrer de sucre des petits plats à gratin individuels. Y répartir les framboises. Napper avec la préparation. Faire gratiner au four, th. 7 (210° C), 25 minutes.

Il est possible de faire un gratin avec des fraises en procédant de la même manière.

Gratin de fruits rouges

Prép. : 15 mn. Cuiss. : 3 mn.
4 pers.

1 pomme / 1 poire / 200 g. de fraises / 200 g. de framboises / 50 g. de groseilles / 50 g. de myrtilles / 100 g. de mûres / 5 dl. de crème pâtissière / 75 g. de sucre / 1 dl. de Cointreau / 20 g. de beurre.

Beurrer des petits plats à gratin individuels et les saupoudrer de sucre.

Hacher grossièrement la pomme et la poire pelées. Les répartir dans les plats puis les couvrir avec les fruits rouges.

Ajouter le Cointreau dans la crème pâtissière et en napper les fruits. Saupoudrer avec le reste de sucre.

Faire gratiner sous le gril 3 minutes.

Gratin de fruits

Prép. : 25 mn. Cuiss. : 3 mn.
3 pers.

250 g. de fraises / 150 g. de framboises / 200 g. de groseilles / 2 pêches / 4 œufs / 100 g. de sucre en poudre / 15 cl. de sauternes / 100 g. d'amandes effilées / Sucre glace.

Peler et émincer les pêches. Répartir les fruits rouges dans des petits plats individuels allant au four. Ranger dessus les lamelles de pêche.

Battre les jaunes d'œufs et le sucre dans un récipient au bain-marie. Y incorporer progressivement le vin. Fouetter jusqu'à ce que la crème double de volume. Napper les fruits. Parsemer d'amandes. Mettre à gratiner sous le gril 3 minutes. Saupoudrer de sucre glace à la sortie du four.

Gratin de kiwis

Prép. : 10 mn. Cuiss. : 15 mn.
4 pers.

2 jaunes d'œufs / 8 kiwis / 50 g. de sucre / 40 g. de sucre vanillé / 3 cuil. de crème / 1 cuil. à café de maïzena.

Peler les kiwis. Les couper en rondelles et les répartir dans de petits ramequins. Battre les jaunes d'œufs, les sucres, la maïzena et la crème. Napper les fruits.

Faire gratiner sous le gril 15 minutes.

Oranges gratinées

Prép. : 30 mn. Cuiss. : 40 mn.
6 pers.

7 grosses oranges / 150 g. de sucre / 5 cl. de Cointreau / 6 œufs / 25 g. de farine / 75 g. de sucre / 25 cl. de lait.

Prélever le zeste d'une orange bien lavée. Le blanchir. L'égoutter, l'émincer finement et le laisser macérer dans le Cointreau.

Battre les jaunes d'œufs avec 75 g. de sucre et la farine. Ajouter le lait bouillant, chauffer jusqu'à ébullition en remuant. Hors du feu, ajouter le Cointreau.

Couper un chapeau sur 6 oranges bien lavées. Retirer l'intérieur sans abîmer l'écorce. Enlever les membranes et les pépins. Faire macérer les quartiers avec 150 g. de sucre dans un plat allant au four et mettre au four pour faire légèrement caraméliser.

Battre les blancs en neige et les incorporer à la crème. Répartir la moitié de la crème dans les écorces d'orange puis les quartiers et le reste de crème.

Poser les oranges dans un plat allant au four avec 1/2 verre d'eau et faire cuire, th. 6 (180° C), 25 minutes.

Gratin de poires aux amandes

Prép. : 10 mn. Cuiss. : 25 mn.
6 pers.

1 kg. de poires pochées / 20 cl. de crème fraîche / 3 jaunes d'œufs / 50 g. de poudre d'amande / 100 g. de sucre / 1 orange / 40 g. de beurre.
Sirop : *1 citron / 80 g. de sucre / 1/2 gousse de vanille.*

Battre les jaunes d'œufs et le sucre. Ajouter le zeste râpé de l'orange bien lavée, la poudre d'amande, 20 g. de beurre ramolli et la crème. Bien mélanger. Ranger les demi-poires tièdes dans un plat à gratin beurré. Napper avec la préparation et répartir le reste de beurre en noisettes. Faire gratiner au four, th. 8 (240° C), 15 minutes.

Gratin de poires

Prép. : 15 mn. Cuiss. : 15 mn.
6 pers.

6 poires / 1 citron / 25 cl. de crème / 3 œufs / 3 cuil. de sucre / 2 sachets de sucre vanillé.

Peler, épépiner et émincer les poires en fines lamelles. Les citronner et les répartir dans 6 petits ramequins beurrés. Battre la crème, les œufs, les sucres et en napper les poires.

Faire gratiner 15 minutes sous le gril.

Gratin de pommes à la cannelle

Prép. : 10 mn. Cuiss. : 40 mn.
4 pers.

8 pommes reinettes du Canada / 125 g. de sucre / 1 cuil. à soupe rase de cannelle / 5 œufs / 25 cl. de lait / 1 pincée de sel.

Peler, épépiner et couper les pommes en quartiers. Les saupoudrer de 25 g. de sucre et d'une pincée de cannelle. Mélanger.

Verser les pommes dans un plat beurré allant au four. Battre les œufs avec le sucre. Ajouter le lait, le sel, le reste de cannelle. Verser le tout sur les pommes.

Faire cuire au four, th. 7 (210° C), 40 minutes.

Servir tiède.

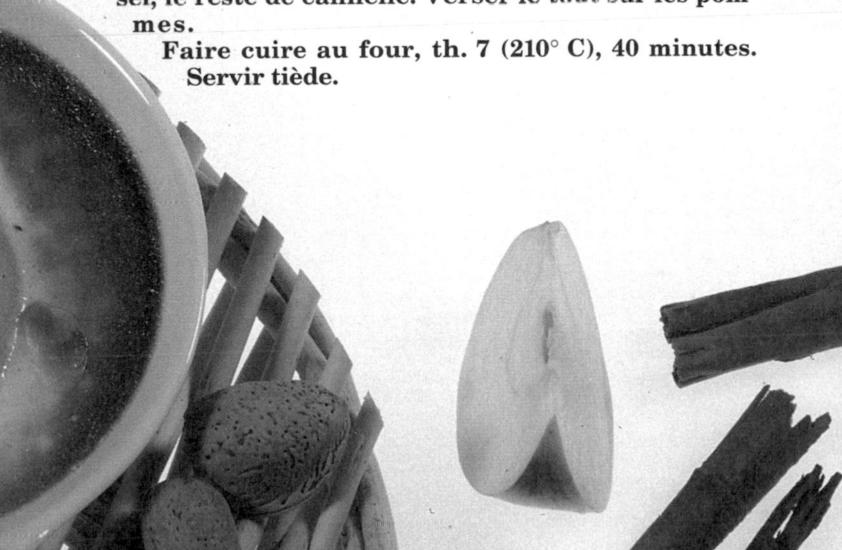

SOUFFLES

Spectaculaires et savoureux en entrée, en plat de résistance ou en dessert, les SOUFFLES sont toujours bien accueillis.

Ils ont la fausse réputation d'être difficiles à réussir. Cependant, en suivant attentivement la recette, on obtiendra facilement un soufflé léger et gonflé à souhait.

Leur réussite dépend en grande partie de l'incorporation correcte des blancs d'œufs battus en neige très ferme. C'est l'air emprisonné dans les blancs qui fera gonfler le soufflé. Il faut s'arrêter de battre les œufs dès qu'ils forment une masse compacte et homogène.

Un soufflé doit être cuit à la dernière minute. Toutefois, l'appareil à soufflé peut être préparé un peu à l'avance et tenu au bain-marie avant d'y incorporer les blancs. Juste avant le repas, les incorporer à l'appareil et faire cuire immédiatement.

Le moule bien beurré jusqu'en haut ne doit être rempli qu'aux 2/3 pour permettre au soufflé de monter pendant la cuisson. Il doit être enfourné dans la partie inférieure du four préchauffé th. 6 (180° C) et cuire en général th. 7 (210° C). Il ne faut surtout pas ouvrir la porte avant la fin de la cuisson. A la sortie du four, le moule doit être manié avec précaution car un soufflé craint les chocs et les courants d'air.

Enfin, il ne faut pas oublier qu'il est plus facile de réussir un soufflé de 4 œufs que de 8. Il vaut donc mieux, si nécessaire, faire deux petits soufflés plutôt qu'un gros. Les soufflés, parce qu'ils contiennent des œufs, constituent un plat nutritif remarquable et économique. Ils permettent aussi d'étoffer un repas léger.

1 - Les blancs doivent être bien fermes.

2 - En incorporer tout d'abord 1/4 à la préparation assez rapidement.

3 - Incorporer délicatement le reste à l'aide d'une spatule en coupant la pâte.

4 - Verser dans le moule. Lisser rapidement à la spatule.

Soufflé au crabe

Prép. : 20 mn. Cuiss. : 35 mn.
4 pers.

200 g. de crabe au naturel / 60 g. de maïzena / 60 g. de beurre / 4 dl. de lait / 4 œufs / 1 cuil. à soupe de concentré de tomate / Sel / Poivre.

Délayer la maïzena dans la moitié du lait froid. Verser ce lait dans le beurre chaud en remuant. Ajouter l'autre moitié. A ébullition, assaisonner, ajouter le concentré de tomate, le crabe égoutté et émietté.

Hors du feu, incorporer les jaunes d'œufs battus puis les blancs battus en neige avec une pincée de sel. Verser dans un moule à soufflé beurré. Cuire au four, th. 7 (210° C) 35 minutes et servir.

Soufflé aux crevettes à la tomate

Prép. : 25 mn. Cuiss. : 30 mn.
4 pers.

4 dl. de purée de tomate fraîche / 150 g. de crevettes décortiquées / 100 g. de farine / 40 g. de beurre / 6 œufs / 100 g. de comté / 20 g. de beurre / Sel / Poivre.

Faire un roux blond avec 40 g. de beurre et la farine. Mouiller avec le lait en remuant. Assaisonner. Laisser frémir 8 minutes.

Après léger refroidissement, incorporer les jaunes d'œufs, la purée de tomate, le comté râpé et les crevettes. Ajouter délicatement les blancs battus en neige ferme à la préparation.

Verser dans un moule à soufflé et faire cuire au four, th. 7 (210° C) 30 minutes.

Soufflé au haddock

Prép. : 10 mn. Cuiss. : 35 mn.
6 pers.

6 œufs / 350 g. de haddock fumé / 20 cl. de crème fraîche / 100 g. de beurre / 1 petit bouquet de persil / 75 g. de farine / 1 l. de lait / Sel / Poivre.

Faire pocher les filets 20 minutes dans 7 dl. de lait. Egoutter les filets, les essuyer et les débarrasser des arêtes et des peaux. Mixer la chair.

Faire un roux avec le beurre et la farine. Mouiller avec le lait restant. Laisser cuire 5 minutes en remuant. Ajouter la crème et laisser épaissir quelques minutes. Hors du feu, mélanger avec les jaunes d'œufs, le persil haché, la purée de haddock. Assaisonner.

Ajouter les blancs d'œufs en neige ferme à la préparation. Verser dans un moule à soufflé beurré. Faire cuire au four, th. 7 (210° C), 30 minutes.

On peut remplacer le haddock par d'autres poissons fumés.

Soufflé de poisson

Prép. : 20 mn. Cuiss. : 35 mn.
4 pers.

500 g. de thon ou de saumon au naturel (ou 500 g. de poisson cuit) / 2 cuil. à soupe d'huile / 100 g. de mie de pain / 15 cl. de lait / 4 œufs / Sel / Poivre / 1 dl. de concentré de tomate.

Mouiller le pain avec le lait et l'écraser à la fourchette. Emietter le poisson et mélanger le tout. Ajouter les jaunes d'œufs battus et le concentré de tomate à la pâte de poisson. Bien malaxer.

Battre les blancs en neige ferme et les incorporer délicatement à la préparation. Verser le mélange dans un moule à soufflé beurré. Faire cuire au four, th. 6 (180° C), 35 minutes.

Soufflé au poisson

Prép. : 20 mn. Cuiss. : 45 mn.
4 pers.

500 g. de filets de poisson (cabillaud, lieu, colin) / 60 g. de beurre / 250 g. de fromage blanc / 4 œufs / Sel / Poivre / Sauce tomate.

Cuire le poisson au court-bouillon. L'égoutter. Eliminer la peau et les arêtes. Mixer. Incorporer 40 g. de beurre fondu, le fromage blanc, les jaunes d'œufs, assaisonner puis ajouter les blancs en neige.

Beurrer un moule à soufflé et y verser la préparation. Faire cuire au four, th. 7 (210° C), 30 minutes. Servir à la sortie du four, avec la sauce tomate en accompagnement.

Soufflé aux foies de volaille

Prép. : 10 mn. Cuiss. : 40 mn.
6 pers.

50 g. de beurre / 60 g. de farine / 3 dl. de lait / 5 œufs / 3 foies de volaille / 1 gousse d'ail / 50 g. de gruyère / Sel / Poivre.

Mixer les foies de volaille avec la gousse d'ail.
Faire un roux avec le beurre et la farine. Mouiller avec le lait en remuant. Laisser épaissir quelques minutes. Ajouter la purée de foie, le gruyère râpé et les jaunes d'œufs. Saler et poivrer.
Battre les blancs d'œufs en neige ferme et les incorporer délicatement à la préparation. Verser dans un moule à soufflé beurré. Faire cuire au four, th. 7 (210° C), 30 minutes.

On peut réaliser un soufflé de cervelle en remplaçant la purée de foie par de la purée de cervelle.

Soufflé au jambon

Prép. : 15 mn. Cuiss. : 40 mn.
4 pers.

100 g. de jambon de Paris / 60 g. de beurre / 40 g. de maïzena / 3 dl. de lait / 2 à 3 œufs suivant leur grosseur / 100 g. de gruyère / Sel / Poivre / Muscade.

Délayer la maïzena avec un peu de lait froid. Verser le tout en remuant sur le beurre chaud. Ajouter le reste de lait bouillant, le fromage râpé, le sel, le poivre et la muscade. Dès que la pâte est souple et lisse, retirer du feu.
Après quelques minutes, incorporer un jaune d'œuf à la pâte puis un second et le troisième si nécessaire. La pâte ne doit pas devenir liquide. Ajouter le jambon haché puis les blancs battus en neige ferme. Verser la préparation dans un moule bien beurré.
Faire cuire au four, th. 6 (180° C), 25 minutes, puis th. 8 (240° C), 15 minutes.

Soufflé à la chinoise

Prép. : 10 mn. Cuiss. : 45 mn.
4 pers.

3 œufs / 75 g. de gruyère / 100 g. de jambon blanc / 1 dl. d'huile d'olive / 50 g. de farine / Sel / Poivre noir / Gingembre en poudre / 5 cl. de sauce soja / 5 cl. de concentré de tomate / 25 cl. de lait.

Chauffer l'huile et la farine. Quand le mélange blondit, mouiller avec le lait. Ajouter le sel, le poivre et le gingembre. Après léger refroidissement, ajouter le concentré de tomate, les jaunes d'œufs, le jambon haché, le gruyère râpé et la sauce de soja.

Battre les blancs d'œufs en neige ferme et les incorporer délicatement à la préparation. Verser dans un moule à soufflé beurré. Faire cuire au four, th. 7 (210° C), 35 minutes.

Soufflé de veau

Prép. : 10 mn. Cuiss. : 40 mn.
4 pers.

40 g. de beurre / 40 g. de farine / 3 dl. de lait / 150 g. de veau cuit / 50 g. de champignons / 3 œufs / 1 cuil. à soupe d'huile / Sel / Poivre.

Faire un roux avec le beurre et la farine. Mouiller avec le lait. Saler et poivrer. Laisser cuire à petit feu 10 minutes. Faire dorer à l'huile les champignons hachés 10 minutes.

Mélanger le veau haché finement, les champignons, la béchamel et les jaunes d'œufs. Vérifier l'assaisonnement.

Incorporer les blancs d'œufs battus en neige ferme à la préparation. Verser dans un moule à soufflé bien beurré.

Faire cuire au four, th. 7 (210° C), 30 minutes.

Soufflé d'artichauts

Prép. : 25 mn. Cuiss. : 40 mn.
4 pers.

40 g. de beurre / 40 g. de farine / 3 dl. de lait / Sel / Poivre / Muscade / 50 g. de fromage / 2 cuil. à soupe de crème fraîche / 4 œufs / 4 fonds d'artichaut cuits.

Faire un roux blond avec le beurre et la farine. Mouiller avec le lait. Faire épaissir à feu doux en remuant. Assaisonner. Ajouter le fromage râpé.

Laisser tiédir. Ajouter les jaunes d'œufs battus avec la crème, les fonds d'artichaut mixés puis les blancs d'œufs battus en neige ferme. Verser dans un moule à soufflé. Faire cuire au four, th. 7 (210° C), 40 minutes.

Soufflé aux champignons

Prép. : 25 mn. Cuiss. : 20 mn.
6 pers.

250 g. de champignons / 100 g. de beurre / 75 g. de farine / 4 dl. de lait / 4 œufs / Sel / Poivre / Muscade.

Nettoyer les champignons. Les mixer finement. Chauffer 30 g. de beurre. Ajouter le hachis et le dessécher sur feu doux.

Faire un roux blond avec 60 g. de beurre et la farine. Mouiller avec le lait et laisser épaissir en remuant. Assaisonner. Verser la purée de champignon dans la sauce. Ajouter les jaunes d'œufs puis les blancs battus en neige ferme. Beurrer un moule et y verser la préparation.

Mettre à cuire au four, th. 7 (210° C), 20 minutes.

Soufflé de châtaignes au fromage

Prép. : 10 mn. Cuiss. : 45 mn.
4 pers.

2 cuil. à soupe de farine de châtaignes / 1/4 l. de lait / 2 cuil. à soupe d'huile / 4 œufs / 75 g. de gruyère / Sel / Poivre.

Chauffer l'huile. Ajouter la farine de châtaignes. Mélanger et laisser cuire 2 minutes en remuant.

Dès que le roux blondit, ajouter le lait et porter à ébullition sans cesser de remuer. Saler et poivrer.

Hors du feu, incorporer les jaunes d'œufs battus, le gruyère râpé puis les blancs d'œufs battus en neige ferme. Verser dans un moule à soufflé beurré.

Faire cuire au four, th. 7 (210° C), 40 minutes.

Soufflé de chou-fleur

Recette n° 1

Prép. : 30 mn. Cuiss. : 45 mn.
4 pers.

1 petit chou-fleur / 1/2 l. de lait / 50 g. de semoule de blé / 30 g. de beurre / 4 œufs / 100 g. de gruyère / Sel.

Diviser le chou-fleur en bouquets. Les laver et les faire cuire à l'eau bouillante salée 15 minutes. Egoutter et réduire en purée.

Faire bouillir le lait avec une pincée de sel. Y verser la semoule en pluie et laisser cuire 10 minutes en remuant. Ajouter le beurre et laisser tiédir. Ajouter 3 jaunes d'œufs, la moitié du gruyère râpé et la purée de chou-fleur. Battre les blancs d'œufs en neige ferme et les incorporer à la préparation.

Verser dans un moule à soufflé beurré. Saupoudrer du reste de gruyère. Faire cuire au four, th. 7 (210° C), 45 minutes.

Recette n° 2

Prép. : 10 mn. Cuiss. : 50 mn.
4 pers.

1 chou-fleur / 50 g. de farine / 40 g. de beurre / 4 dl. de lait / 4 œufs / 100 g. de gruyère.

Détailler les bouquets de chou-fleur et les faire blanchir 15 minutes à l'eau bouillante salée. Les égoutter et les réduire en purée.

Faire un roux blond avec le beurre et la farine. Mouiller avec le lait. Laisser cuire 10 minutes. Assaisonner. Hors du feu, ajouter la purée de chou-fleur, les jaunes d'œufs et 75 g. de gruyère râpé. Battre les blancs en neige ferme et les incorporer à la préparation.

Verser dans un moule à soufflé beurré. Saupoudrer de gruyère. Faire cuire au four, th. 6 (180° C), 30 minutes.

Courgettes soufflées

Prép. : 25 mn. Cuiss. : 30 mn.
6 pers.

6 petites courgettes / 250 g. de fromage blanc / 100 g. de comté / 2 œufs / 50 g. de semoule / Persil et basilic hachés / Sel / Poivre / 25 g. de beurre.

Laver et fendre les courgettes dans le sens de la longueur. Les évider. Battre le fromage blanc avec les jaunes d'œufs. Ajouter la semoule, 75 g. de comté râpé et les herbes. Assaisonner. Incorporer délicatement les blancs d'œufs montés en neige.

Garnir les courgettes de farce. Les saupoudrer du reste de comté et de noisettes de beurre. Les ranger dans un plat beurré.

Faire cuire au four, th. 7 (210° C), 30 minutes.

Soufflé aux épinards

Prép. : 20 mn. Cuiss. : 30 mn.
4 pers.

500 g. d'épinards / 150 g. de jambon / 75 g. de gruyère / 1 dl. de crème épaisse / 25 g. de beurre / 30 g. de farine / 25 cl. de lait / 3 œufs / Sel / Poivre / Muscade.

Faire blanchir les épinards à l'eau bouillante salée. Les rafraîchir sous l'eau froide. Les égoutter et les presser fortement. Les hacher.

Faire un roux blond avec le beurre et la farine. Mouiller avec le lait. Assaisonner et laisser encore cuire 5 minutes. Hors du feu, ajouter les jaunes d'œufs battus et 50 g. de gruyère râpé. Battre les blancs d'œufs en neige ferme et les incorporer délicatement. Mélanger les épinards, la crème épaisse et le jambon haché.

Dans un moule à soufflé beurré, alterner les couches de sauce et d'épinards. Finir par de la sauce. Saupoudrer de gruyère. Faire cuire au four, th. 7 (210° C), 30 minutes.

Soufflé d'épinards au lard

Prép. : 25 mn. Cuiss. : 45 mn.
4 pers.

1 kg. d'épinards / 2 dl. de sauce Béchamel (p. 4) / 100 g. de gruyère / 150 g. de lard / 4 œufs / 1 cuil. d'huile.

Faire rissoler le lard coupé en petits dés dans l'huile.

Blanchir les épinards 5 minutes à l'eau bouillante salée. Les égoutter et les presser fortement. Les hacher.

Mélanger les épinards à la béchamel chaude. Ajouter le gruyère, les lardons égouttés et les jaunes d'œufs battus. Battre les blancs d'œufs en neige ferme et les incorporer au mélange. Verser la préparation dans un moule à soufflé beurré. Faire cuire au four, th. 6 (180° C), 40 minutes.

Soufflé d'épinards

Prép. : 25 mn. Cuiss. : 45 mn.
6 pers.

500 g. d'épinards / 60 g. de beurre / 75 g. de farine / 4 dl. de lait / Sel / Poivre / Muscade / 100 g. de gruyère / 5 œufs.

Trier les épinards. Les laver et les verser dans de l'eau bouillante salée. Après 5 minutes de cuisson, les égoutter, les presser fortement et les hacher. Les faire dessécher quelques minutes à feu doux.

Chauffer le beurre avec la farine. Dès que le mélange mousse, mouiller en remuant avec le lait et faire épaissir à feu doux. Assaisonner.

Laisser tiédir puis incorporer les jaunes d'œufs, le fromage et les épinards. Rectifier l'assaisonnement. Battre les blancs d'œufs en neige ferme et les incorporer délicatement à la préparation. Verser dans un moule beurré.

Faire cuire au four, th. 7 (210° C), 45 minutes.

Soufflé de maïs au poivron

Prép. : 25 mn. Cuiss. : 45 mn.
4 pers.

200 g. de maïs au naturel / 1 poivron rouge / 70 g. de beurre / 60 g. de farine / 25 cl. de lait / 3 œufs / 150 g. de gruyère / Sel / Poivre / Muscade.

Griller le poivron quelques minutes dans le four et enlever la peau. Couper le poivron en petits dés. Rincer le maïs et l'égoutter.

Faire un roux blond avec 50 g. de beurre et la farine. Mouiller avec le lait et laisser cuire quelques minutes. Après léger refroidissement, ajouter les jaunes d'œufs, le poivron, le maïs et le fromage. Battre les blancs en neige ferme et les incorporer délicatement à la préparation. Verser dans un moule beurré. Faire cuire au four, th. 7 (210° C), 45 minutes.

Soufflé de pommes de terre

Prép. : 20 mn. Cuiss. : 55 mn.
4 pers.

1 kg. de pommes de terre / 1 dl. de lait / 2 dl. de crème / 75 g. de beurre / 50 g. de farine / 4 œufs / 75 g. de comté / Sel / Poivre / Muscade.

Peler et couper les pommes de terre en quartiers. Les faire cuire à l'eau bouillante salée. Les égoutter et les écraser au presse-purée. Ajouter le lait, la crème, 50 g. de beurre et la farine. Battre au fouet. Ajouter 3 jaunes d'œufs et 50 g. de comté râpé.

Battre les 4 blancs d'œufs avec une pincée de sel en neige ferme. Ajouter un peu de blanc à la purée. Assaisonner. Bien mélanger. Incorporer ensuite très délicatement le reste des blancs à la purée.

Verser la préparation dans un moule à soufflé beurré. Saupoudrer du reste de comté et faire gratiner, th. 7 (210° C), 30 minutes.

Soufflé aurore

Prép. : 30 mn. Cuiss. : 45 mn.
4 pers.

400 g. de pommes de terre / 400 g. de carottes / 5 œufs / 15 cl. de crème fraîche / Sel / Poivre / Muscade / 10 g. de chapelure / 10 g. de beurre.

Eplucher les légumes et les faire cuire à l'eau bouillante salée. Dès qu'ils sont tendres, les égoutter et les réduire en purée. Assaisonner. Ajouter la crème et les jaunes d'œufs.

Battre les blancs d'œufs en neige ferme avec une pincée de sel et les incorporer délicatement à la préparation. Verser dans un moule à soufflé beurré.
Saupoudrer de chapelure et de petites noisettes de beurre.
Faire cuire au four, th. 7 (210° C), 35 minutes.

Soufflé exotique

Prép. : 15 mn. Cuiss. : 25 mn.
6 pers.

1/2 ananas / 5 bananes / 175 g. de sucre / 1 dl. de rhum / 3 blancs d'œufs / 20 g. de beurre.

Eplucher les bananes et les couper en rondelles. Couper la pulpe d'ananas en petits dés.

Faire cuire les fruits dans une casserole en acier inoxydable avec 150 g. de sucre et le rhum. Les mixer après 10 minutes.

Battre les blancs d'œufs avec 1 pincée de sel en neige ferme. Les incorporer à la purée de fruits tiédie. Verser la préparation dans un moule à soufflé beurré. Saupoudrer de sucre.

Faire cuire au four, th. 7 (210° C), 15 minutes. Servir immédiatement.

Soufflé aux fraises

Prép. : 20 mn. Cuiss. : 25 mn.
6 pers.

500 g. de fraises / 190 g. de sucre / 4 œufs / 30 g. de maïzena / 5 cl. de crème fraîche.

Battre les œufs et le sucre jusqu'à ce qu'ils blanchissent. Ajouter la maïzena et la crème.

Laver, équeuter et passer les fraises au tamis et les ajouter à la préparation ainsi que les blancs battus en neige ferme.

Verser dans un moule beurré. Saupoudrer de sucre. Mettre au four, th. 6 (180° C), 25 minutes.

Soufflé aux pommes

Prép. : 20 mn. Cuiss. : 40 mn.
6 pers.

1 kg. de reinettes / 400 g. de sucre / 6 œufs / 1 gousse de vanille / 10 g. de beurre / 5 dl. de crème anglaise ou de chantilly.

Peler et épépiner les pommes. Les couper en quartiers et les faire cuire à feu doux avec la gousse de vanille fendue et le sucre.

Enlever la vanille et réduire les pommes en purée. Ajouter les jaunes d'œufs battus.

Battre les blancs d'œufs et les incorporer délicatement à la purée. Verser la préparation dans un moule beurré.

Faire cuire au four, th. 5 (150° C), 30 minutes. Servir accompagné de crème anglaise ou Chantilly.

Soufflé aux noix

Prép. : 20 mn. Cuiss. : 20 mn.
6 pers.

6 œufs / 1/3 l. de lait / 80 g. de farine / 60 g. de beurre / 60 g. de noix hachées finement / 6 cerneaux de noix / 100 g. de sucre en poudre / 20 g. de beurre.

Faire fondre le beurre. Ajouter la farine en remuant. Mouiller avec le lait bouillant. Laisser épaissir sur feu doux.

Après léger refroidissement, ajouter le sucre, les noix en poudre, 4 jaunes d'œufs puis 6 blancs d'œufs en neige ferme. Verser la préparation dans un moule à soufflé beurré.

Faire cuire au four, th. 6 (180° C), 10 minutes puis th. 8 (240° C), 10 minutes. Servir dès la sortie du four.

Soufflé aux agrumes

Prép. : 30 mn. Cuiss. : 20 mn.
6 pers.

3 oranges / 1 pamplemousse / 1 citron / 100 g. de sucre en poudre / 4 œufs / 60 g. de beurre / 30 g. de maïzena.

Couper les oranges et le pamplemousse en 2. Extraire la pulpe sans abîmer les écorces. Hacher la pulpe.

Chauffer 30 g. de beurre. Ajouter la maïzena, le sucre, le zeste du citron bien lavé et 15 cl. de pulpe. Laisser cuire à petit feu en remuant quelques minutes.

Hors du feu, ajouter 30 g. de beurre, 25 cl. de pulpe et les jaunes d'œufs. Bien mélanger. Battre les blancs en neige et les incorporer à la préparation.

Remplir les écorces aux 3/4 avec la préparation. Faire cuire, th. 8 (240° C), 20 minutes.

Soufflé à l'orange

Prép. : 15 mn. Cuiss. : 30 mn.
4 pers.

3 oranges / 2 dl. de lait / 4 jaunes d'œufs / 40 g. de beurre / 7 morceaux de sucre / 50 g. de farine / 100 g. de sucre semoule / 5 cl. de Grand Marnier / Zeste d'orange confit (p. 7) / 3 blancs d'œufs.

Laver soigneusement les oranges. Les sécher. Y frotter les morceaux de sucre. Les ajouter au lait bouillant. Couvrir.

Faire fondre le beurre. Ajouter la farine. Remuer jusqu'à ce que le mélange mousse. Ajouter le lait en remuant puis 75 g. de sucre semoule. Laisser faire quelques bouillons.

Hors du feu, verser la préparation sur les jaunes d'œufs en fouettant. Ajouter le Grand Marnier puis les 3 blancs battus en neige ferme.

Beurrer et saupoudrer de sucre les parois d'un moule à soufflé. Y verser l'appareil. Faire cuire au four, th. 6 (180° C), 20 minutes.

Décorer de zeste d'orange et servir.

Soufflé au citron

Prép. : 25 mn. Cuiss. : 15 mn.
4 pers.

1 citron / 4 œufs / 50 g. de sucre / 1 cuil. à soupe de fécule / 20 g. de beurre.

Battre les jaunes d'œufs avec le sucre. Ajouter la fécule, le zeste râpé et 1 cuillerée à soupe de jus de citron.
Battre les blancs d'œufs en neige ferme et les incorporer délicatement au mélange. Verser dans un moule à soufflé beurré.
Faire cuire au four, th. 8 (240° C), 15 minutes.

Soufflé marbré orange - chocolat

Prép. : 30 mn. Cuiss. : 50 mn.
5 pers.

10 biscuits cuillers / 30 cl. de jus d'orange / 6 cl. de liqueur d'orange / 100 g. de chocolat / 100 g. de sucre / Le zeste d'1 orange / 3 œufs.
Béchamel : *50 g. de beurre / 40 g. de farine / 20 cl. de lait.*

Mélanger 5 cl. de jus d'orange et 3 cl. de liqueur d'orange. Y passer les biscuits et garnir le fond d'un moule à soufflé beurré de 18 cm de diamètre.

Faire fondre le chocolat au bain-marie. Y incorporer 5 cl. de jus d'orange. Réserver 1 cuillerée à soupe de mélange et verser le reste sur les biscuits.

Faire fondre le beurre à feu doux. Ajouter la farine et remuer jusqu'à ce que le mélange mousse. Ajouter le lait. Fouetter et faire épaissir jusqu'à ébullition.

Hors du feu, ajouter 3 cl. de liqueur, le zeste, le sucre puis les jaunes d'œufs. Battre les blancs d'œufs en neige ferme et les incorporer délicatement à la préparation. Verser sur les biscuits. Napper du reste de chocolat.

Faire cuire au four, th. 5 (150° C), 45 minutes, en plaçant le moule assez haut dans le four. Servir dès la sortie du four.

Soufflé au chocolat

Prép. : 20 mn. Cuiss. : 45 mn.
8 pers.

100 g. de farine / 100 g. de beurre / 1/2 l. de lait / 5 œufs / 125 g. de chocolat "dessert" / 100 g. de sucre semoule.

Casser le chocolat en morceaux et le mettre à fondre dans le lait chaud en remuant pour obtenir un mélange homogène.

Chauffer le beurre. Ajouter la farine dès que le mélange mousse. Ajouter le lait au chocolat en remuant. Laisser épaissir et ajouter le sucre. Laisser tiédir.

Ajouter les jaunes d'œufs l'un après l'autre à la préparation puis incorporer délicatement les blancs en neige ferme. Verser le mélange dans un moule beurré.

Mettre au four, th. 5 (150° C), 45 minutes.

Soufflés au coulis de poire XXX OOO

Prép. : 35 mn. Cuiss. : 25 mn.
6 pers.

8 œufs / 70 g. de farine / 1 l. de lait / Le zeste d'1 orange et celui d'1 citron vert / 10 cl. de Cointreau / 525 g. de sucre / 6 poires / 3 oranges / 25 g. de beurre / 2 dl. de grenadine / 6 petits cubes de génoise / Sucre glace.

Laver les oranges. Prélever le zeste de 3 oranges au couteau économe. Le couper en fines lanières et le faire confire à petit feu dans 1/2 l. d'eau additionné du sirop de grenadine et de 200 g. de sucre. Faire réduire le sirop des 3/4 et laisser le zeste refroidir dedans.

Porter 1/2 l. d'eau avec 250 g. de sucre à ébullition. Laisser frémir 5 minutes. Peler les poires. Les couper en quartiers et les faire cuire 5 minutes dans le sirop. Mixer en ajoutant un peu de sirop pour obtenir un coulis.

Imbiber les cubes de génoise de Cointreau.

Battre 6 jaunes d'œufs et 2 œufs entiers avec 50 g. de sucre, la farine, le zeste d'1 orange et d'1 citron taillé en julienne. Verser le lait bouillant en remuant.

Ramener à ébullition en remuant sur feu doux pour épaissir. Hors du feu, ajouter 5 cl. de Cointreau. Laisser tiédir. Battre 6 blancs d'œufs en neige ferme et les incorporer délicatement à la crème.

Beurrer et saupoudrer de sucre les parois de 6 petits ramequins. Y verser un peu de crème. Poser un cube de génoise par ramequin et couvrir de crème.

Faire cuire au four, th. 6 (180° C), 15 minutes.

Napper le fond de 6 assiettes à dessert de coulis de poire. Démouler un soufflé sur chacune. Décorer de zeste d'orange. Saupoudrer de sucre glace et servir.

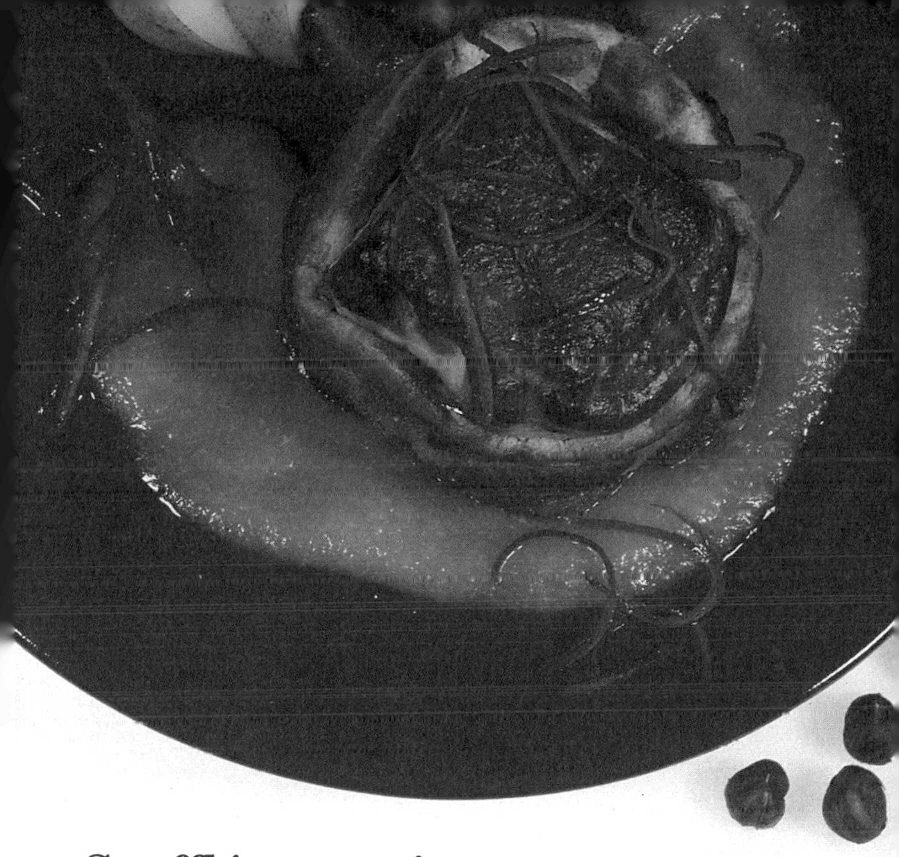

Soufflé aux poires, aux noisettes

XXX O

Prép. : 20 mn. Cuiss. : 65 mn.
6 pers.

80 g. de noisettes râpées / 120 g. de beurre / 3 belles poires / 225 g. de sucre semoule / 5 cl. de cognac / 4 jaunes d'œufs / 6 blancs d'œufs / 1 pincée de sel / 30 g. de fécule.

Peler les poires, les épépiner, les couper en lamelles et les faire revenir 15 minutes dans 100 g. de beurre fondu. Ajouter 200 g. de sucre. Faire mijoter 20 minutes jusqu'à ce que les poires commencent à caraméliser. Verser cette préparation dans une terrine. Ajouter le cognac. Incorporer les jaunes d'œufs l'un après l'autre, la fécule, puis les 2/3 des noisettes.

Beurrer un moule à soufflé. Saupoudrer les parois avec le reste de sucre.

Battre les blancs d'œufs avec une pincée de sel et les incorporer délicatement à la préparation. Verser dans le moule. Saupoudrer le dessus du reste de noisettes. Faire cuire au four, th. 5 (150° C), 35 à 40 minutes jusqu'à ce que le dessus soit bien doré.

Servir aussitôt.

Soufflés aux fruits rouges

Prép. : 30 mn. Cuiss. : 5 mn.
Repos : 4 h. - 4 pers.

150 g. de groseilles / 150 g. de framboises / 100 g. de griottes / 3 dl. de crème / 300 g. de sucre / 6 blancs d'œufs / 4 cerises confites.

Egrapper, équeuter et dénoyauter les fruits. Les mixer et les passer au tamis.

Faire bouillir 1/2 litre d'eau et le sucre jusqu'à ce qu'une goutte versée dans un bol d'eau froide forme une boule molle.

Battre les blancs d'œufs et verser en filet le sirop bouillant sur les bords de la terrine les contenant en fouettant vigoureusement. Le mélange doit gonfler et devenir brillant.

Ajouter la purée de fruits puis la crème battue en neige ferme. Verser dans des petits ramequins en verre garnis de bandes de papier pour rehausser les bords. Mettre au froid plusieurs heures.

Pour servir, coiffer les ramequins d'une cerise confite.

Soufflé glacé aux fraises

Prép. : 25 mn.
Repos : 4 h. - 4 pers.

650 g. de fraises / 500 g. de sucre / 1/2 l. de crème / 1 sachet de sucre vanillé.

Nettoyer les fraises. En réduire 500 g. en purée.

Battre la crème et ajouter progressivement les sucres en pluie.

Garnir un moule en verre de papier fort pour rehausser le bord. Bien beurrer le tour, y compris le papier.

Incorporer délicatement la crème Chantilly à la pulpe de fraise et verser cette préparation dans le moule. Mettre au congélateur plusieurs heures.

Quand le "soufflé" est bien pris, retirer le papier et décorer avec les fraises réservées.

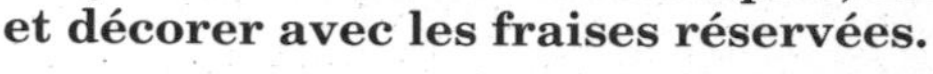

Soufflé glacé au chocolat

Prép. : 25 mn. Cuiss. : 20 mn.
6 pers.

250 g. de chocolat "dessert" / 1 orange / 1 cuil. à soupe d'extrait de café / 6 œufs / 125 g. de sucre en poudre / 15 g. de gélatine en poudre / 15 cl. de crème fraîche / 5 cl. de kirsch / Cognac ou rhum / Granulés ou copeaux de chocolat / Sucre glace.

Casser le chocolat en morceaux et le faire fondre dans un récipient au bain-marie chaud mais non bouillant. Quand le chocolat est lisse, ajouter le zeste râpé, le jus de l'orange bien lavée et l'extrait de café.

Casser les œufs. Ajouter le sucre. Mettre au bain-marie et battre le mélange au fouet jusqu'à ce qu'il triple de volume.

Rincer la gélatine à l'eau froide et l'ajouter au chocolat. Bien remuer. Ajouter les œufs puis la crème battue en chantilly et l'alcool choisi.

Pour rehausser le moule, fixer une bande de papier rigide dépassant de 5 cm autour du moule. Verser la préparation dans le moule et mettre plusieurs heures au réfrigérateur.

Pour servir, enlever la bande de papier. Saupoudrer de chocolat et de sucre glace.

Soufflés de kiwis glacé

Prép. : 20 mn.
Repos : 12 h. - 6 pers.

9 kiwis / 1 citron vert / 100 g. de sucre / 150 g. de fromage blanc / 2 blancs d'œufs.

Peler 8 kiwis et les mixer. Ajouter le sucre et le jus du citron.

Mélanger la pulpe de kiwi et le fromage blanc. Incorporer les blancs battus en neige ferme.

Garnir de papier sulfurisé le tour extérieur des ramequins pour rehausser les bords. Y répartir la préparation. Mettre au freezer 12 heures.

Pour servir, enlever les bandelettes de papier et décorer les ramequins de demi-tranches de kiwi pelé.

TABLE DES RECETTES

Pages

Aux fruits

SOUFFLES

Aux crustacés, poisson

A la viande

Aux légumes

Aux fruits, au chocolat

Dépôt légal 3e trim. 1990 - Imp. n° 1 784

ISBN 2-7372-2056-4

Imprimé en C.E.E.